디지털 작가의 시대

AI와 글쓰기로 돈 버는 비결

창의성과 기술이 만나는
글쓰기의 새로운 시대
AI와 함께하세요

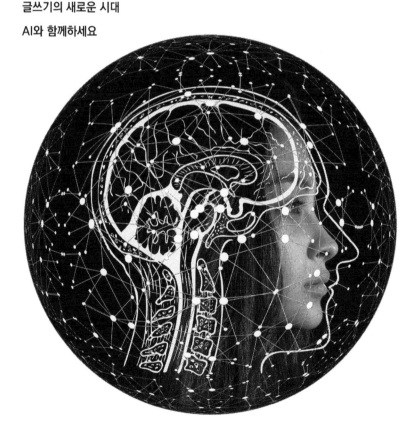

디지털 작가의 시대

AI와 글쓰기로 돈 버는 비결

발행: 2024년 06월 03일

지은이: 여여 (如如) 안형렬 (당태공)

편집: 최윤경 / 디자인: 최윤경

펴낸이: 한건희

펴낸곳: 주식회사 부크크

출판사등록: 2014.07.15.(제2014-16호)

주　소: 서울특별시 금천구 가산디지털1로 119 SK트윈타워 A동 305호

전　화: 1670-8316

전자우편: info@bookk.co.kr

ISBN 979-11-410-8792-0

차례

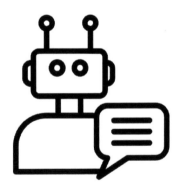

프롤로그 Prologue

안녕하세요, 독자 여러분. 이 책 "AI와 글쓰기로 돈을 버는 비결 실전 가이드"를 집필하게 된 저자 안형렬 입니다. 이 책을 통해 여러분이 AI 기술을 활용해 글쓰기로 수익을 창출하는 방법을 배울 수 있기를 바랍니다. 우리는 급변하는 디지털 시대에 살고 있으며, 이러한 변화 속에서 AI는 우리의 삶과 작업 방식에 혁신적인 영향을 미치고 있습니다.

AI는 더 이상 단순한 기술적 도구에 머물지 않고, 창의적 작업과 지식 노동의 영역에서도 중요한 역할을 하고 있습니다. 이 책은 AI를 활용하여 효율적이고 창의적인 글쓰기를 통해 실제로 돈을 버는 방법을 안내합니다. 독자 여러분이 이 책을 통해 실질적인 지식과 도구를 습득하여 자신의 글쓰기 역량을 향상시키고, 이를 통해 경제적 성과를 거두기를 희망합니다.

이 책은 전문가뿐만 아니라 글쓰기에 익숙하지 않은 비전문가도 쉽게 따라할 수 있도록 구성되었습니다. AI 도구를 활용한 글쓰기는 복잡하고 어려운 기술적 작업이 아니라, 누구나 접근할 수 있는 실용적인 방법입니다. 이 책을 통해 AI 도구의 다양한 활용법을 익히고, 이를 통해 글쓰기의 새로운 가능성을 발견하게 될 것입니다.

예를 들어, 글쓰기 초안을 작성하는 과정에서 AI를 활용하면 시간을 절약하고, 보다 체계적이고 논리적인 글을 작성할 수 있습니다. 또한, AI를 활용하여 SEO 최적화 글쓰기를 배우면 온라인에서 더 많은 독자에게 도달할 수 있는 기회를 얻게 됩니다.

이 책은 이러한 실용적인 예시와 함께, 실제로 적용할 수 있는 다양한 방법들을 소개합니다.

우리는 글쓰기가 개인의 성장과 성공에 얼마나 중요한 역할을 하는지 수많은 사례를 통해 확인할 수 있습니다. 이 책은 이러한 사례를 바탕으로, 독자 여러분이 자신의 글쓰기 능력을 극대화할 수 있도록 돕기 위해 쓰여졌습니다.

글쓰기는 단순한 기록의 수단을 넘어, 자신의 생각과 감정을 표현하고, 다른 사람들과 소통하며, 나아가 경제적 가치를 창출할 수 있는 강력한 도구입니다. 이 책을 통해 여러분이 이러한 글쓰기의 힘을 깨닫고, 실제로 활용할 수 있기를 바랍니다.

마지막으로, 이 책을 통해 여러분이 얻을 수 있는 가장 큰 가치는 바로 자신감입니다. AI 도구를 활용한 글쓰기는 새로운 도전이자 기회입니다. 처음에는 낯설고 어렵게 느껴질 수 있지만, 이 책에서 제공하는 가이드와 예시를 통해 하나씩 따라가다 보면, 어느새 자신도 모르게 글쓰기의 달인이 되어 있을 것입니다.

여러분의 성공을 위해 이 책을 집필한 만큼, 책의 내용이 여러분에게 큰 도움이 되기를 바랍니다. AI와 글쓰기를 통해 새로운 기회를 발견하고, 그 기회를 현실로 만들어가는 여정을 시작해 보세요. 이 책이 여러분의 글쓰기 여정에 든든한 동반자가 되기를 진심으로 기원합니다. 감사합니다.

2024년 05월 30일   여여 (如如) 안형렬

서문　　책의 목적과
　　　　　필요성

이 책은 AI 기술을 활용하여 글쓰기를 통해 경제적 수익을 창출하는 방법을 교육하며, 독자가 AI와 협업하는 글쓰기의 미래에 대비할 수 있도록 돕습니다.

책의 목적과 필요성

이 책의 주요 목적은 독자 여러분이 AI 기술을 활용하여 글쓰기를 통해 경제적 수익을 창출할 수 있는 방법을 안내하는 것입니다. 디지털 시대에 AI는 단순한 기술적 도구를 넘어, 창의적 작업과 지식 노동의 영역에서도 중요한 역할을 하고 있습니다.

AI는 더 이상 전문가들만의 전유물이 아니며, 누구나 접근할 수 있는 실용적인 도구입니다. 이 책은 AI 기술을 활용하여 글쓰기의 새로운 가능성을 발견하고, 이를 통해 실제로 돈을 버는 방법을 소개합니다. 이를 통해 독자 여러분이 자신의 글쓰기 역량을 극대화하고, 경제적 성과를 거둘 수 있도록 돕는 것을 목표로 하고 있습니다.

AI 도구를 활용한 글쓰기는 비전문가에게도 접근 가능하도록 쉽게 구성되었습니다. AI를 활용하면 글쓰기의 초안을 빠르게 작성하고, 체계적이고 논리적인 글을 작성할 수 있습니다. 또한, AI를 활용하여 SEO 최적화 글쓰기를 배우면 온라인에서 더 많은 독자에게 도달할 수 있는 기회를 얻게 됩니다.

이 책은 이러한 실용적인 예시와 함께, 실제로 적용할 수 있는 다양한 방법들을 소개합니다. 예를 들어, AI를 활용하여 블로그 글을 작성하고, 이를 통해 광고 수익을 창출하는 방법, 전자책을 출판하고 판매하는 방법 등을 다룹니다. 이러한 방법들은 모두 AI 기술을 활용하여 글쓰기의 효율성과 효과를 극대화할 수 있는 실질적인 방법들입니다.

또한, 이 책은 AI 기술이 가져올 미래의 변화를 미리 대비하고, 이를 활용하는 방법을 안내합니다. AI 기술은 계속해서 발전하고 있으며, 이에 따라 글쓰기의 방식도 변화하고 있습니다. 이러한 변화를 미리 준비하고, 이를 적극적으로 활용하는 것은 매우 중요합니다.

이 책은 최신 AI 기술과 트렌드를 반영하여, 독자 여러분이 미래의 변화에 대비할 수 있도록 돕습니다. 예를 들어, AI를 활용한 자동 번역 기술, 자연어 처리 기술 등을 소개하고, 이를 통해 글로벌 독자에게 다가가는 방법을 설명합니다. 이러한 미래 지향적인 접근은 독자 여러분이 변화하는 환경 속에서도 경쟁력을 유지하고, 지속적인 성장을 이룰 수 있도록 도와줍니다.

이 책의 또 다른 중요한 목적은 독자 여러분에게 자신감을 심어주는 것입니다. AI 도구를 활용한 글쓰기는 새로운 도전이자 기회입니다. 처음에는 낯설고 어렵게 느껴질 수 있지만, 이 책에서 제공하는 가이드와 예시를 통해 하나씩 따라가다 보면, 어느새 자신도 모르게 글쓰기의 달인이 되어 있을 것입니다.

여러분의 성공을 위해 이 책을 집필한 만큼, 책의 내용이 여러분에게 큰 도움이 되기를 바랍니다. AI와 글쓰기를 통해 새로운 기회를 발견하고, 그 기회를 현실로 만들어가는 여정을 시작해 보세요. 이 책이 여러분의 글쓰기 여정에 든든한 동반자가 되기를 진심으로 기원합니다.

AI와 글쓰기의 미래 전망

AI와 글쓰기의 미래는 매우 밝습니다. AI 기술은 계속해서 발전하고 있으며, 이에 따라 글쓰기의 방식도 혁신적으로 변화하고 있습니다. AI는 글쓰기의 초안을 빠르게 작성하고, 문법과 스타일을 자동으로 교정하며, 독자의 반응을 분석하여 글의 효과를 극대화하는 데 도움을 줄 수 있습니다.

이러한 AI 기술의 발전은 글쓰기의 효율성과 효과를 크게 향상시키며, 이를 통해 더 많은 사람들이 글쓰기를 통해 경제적 수익을 창출할 수 있는 기회를 제공하고 있습니다. 미래에는 AI 기술이 더욱 발전하여, 보다 정교하고 창의적인 글쓰기가 가능해질 것으로 기대됩니다.

AI와 글쓰기의 결합은 다양한 형태로 나타나고 있습니다. 예를 들어, AI는 글쓰기 도구로서의 역할뿐만 아니라, 창의적인 아이디어를 제공하는 데에도 큰 도움이 됩니다. AI는 방대한 데이터를 분석하여 새로운 아이디어를 제안하고, 이를 바탕으로 글을 작성하는 데 도움을 줄 수 있습니다.

또한, AI는 글쓰기 과정에서 발생할 수 있는 다양한 문제를 해결하는 데도 유용합니다. 예를 들어, AI는 글의 주제를 분석하여 가장 효과적인 구조와 스타일을 제안하고, 독자의 관심을 끌 수 있는 제목을 생성하는 데 도움을 줄 수 있습니다. 이러한 AI의 활용은 글쓰기의 모든 과정에서 큰 도움을 줄 수 있으며, 이를 통해 보다 창의적이고 효과적인 글쓰기가 가능해집니다.

미래의 글쓰기는 AI와의 협업을 통해 더욱 발전할 것입니다. AI는 글쓰기의 효율성을 높이는 도구로서의 역할을 넘어, 창의적인 파트너로서의 역할을 하게 될 것입니다. AI와 인간이 협력하여 글을 작성하는 방식은 앞으로 더욱 보편화될 것이며, 이를 통해 보다 높은 품질의 글을 작성할 수 있게 될 것입니다.

예를 들어, AI는 글의 초안을 작성하고, 인간은 이를 바탕으로 보다 창의적이고 감성적인 요소를 추가하여 완성도 높은 글을 작성할 수 있습니다. 이러한 협업은 글쓰기의 새로운 가능성을 열어주며, 이를 통해 더욱 다채롭고 풍부한 글을 작성할 수 있게 될 것입니다.

AI 기술의 발전은 글쓰기의 접근성을 크게 향상시킬 것입니다. 누구나 쉽게 접근할 수 있는 AI 도구를 활용하여, 글쓰기의 어려움을 극복하고 자신의 생각과 아이디어를 표현할 수 있게 될 것입니다. 특히, 글쓰기에 익숙하지 않은 비전문가도 AI 도구를 활용하여 효과적으로 글을 작성할 수 있게 될 것입니다.

이러한 변화는 더 많은 사람들이 글쓰기를 통해 자신의 생각을 표현하고, 이를 통해 경제적 수익을 창출할 수 있는 기회를 제공할 것입니다. 미래에는 AI 도구의 활용이 더욱 보편화되어, 누구나 쉽게 글쓰기를 통해 성공할 수 있는 환경이 조성될 것입니다.

마지막으로, AI와 글쓰기의 결합은 새로운 기회를 창출할 것입니다. AI 기술의 발전은 글쓰기뿐만 아니라, 다양한 분야에서 새로운 기회를 제공할 것입니다. 예를 들어, AI를 활용한 자동 번역 기술은 글로벌 시장에 진출하는 데 큰 도움이 될 것입니다.

또한, AI를 활용한 데이터 분석과 개인화 기술은 보다 효과적인 마케팅과 독자 맞춤형 콘텐츠 제작을 가능하게 할 것입니다.

이러한 변화는 글쓰기의 새로운 가능성을 열어주며, 이를 통해 더 많은 사람들이 성공할 수 있는 기회를 제공할 것입니다. AI와 글쓰기의 결합은 미래의 새로운 가능성을 열어주는 열쇠가 될 것입니다.

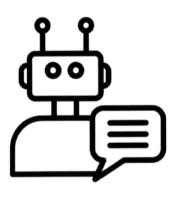

제 1 장

꿈을 현실로 만드는 AI

AI는 글쓰기 과정을 혁신하고, 글쓰기의 효율성과 품질을 향상시키며, 창의적인 글쓰기 및 다양한 형태의 콘텐츠 제작에 활용될 수 있습니다.

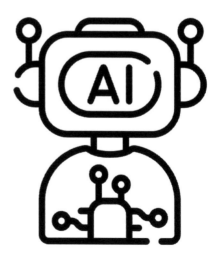

마법의 도구 상자

AI가 어떻게 글쓰기를 돕는가

AI는 글쓰기 과정의 여러 단계를 혁신적으로 변화시키고 있습니다. 예를 들어, AI는 글쓰기 초안을 빠르게 작성하는 데 큰 도움을 줍니다. 이는 특히 글을 시작하는 데 어려움을 겪는 사람들에게 매우 유용합니다. AI는 주제에 대한 기본적인 정보를 수집하고 이를 바탕으로 논리적이고 일관된 초안을 생성합니다.

이러한 초안은 작가가 자신의 아이디어를 체계적으로 정리하고 발전시키는 데 중요한 역할을 합니다. 또한, AI는 문법 검사와 스타일 개선 기능을 통해 글의 품질을 높이는 데 기여합니다. 이를 통해 글쓴이는 글쓰기의 본질적인 창의적 과정에 더 집중할 수 있게 됩니다.

AI의 도움으로 글쓰기의 속도와 효율성도 크게 향상됩니다. 예를 들어, 작가가 작성한 글을 AI가 분석하여 문법적 오류나 불명확한 표현을 즉시 교정할 수 있습니다. 이는 특히 긴 글이나 기술적인 글을 작성할 때 매우 유용합니다. 또한, AI는 반복적인 작업을 자동화하여 작가가 더 중요한 작업에 집중할 수 있도록 돕습니다. 예를 들어, AI는 자료 조사, 참고 문헌 정리, 데이터 분석 등의 작업을 자동으로 수행할 수 있습니다. 이러한 자동화는 작가가 글쓰기에 더 많은 시간을 투자할 수 있게 하며, 글의 전반적인 품질을 향상시키는 데 기여합니다.

AI는 또한 글의 일관성과 논리성을 유지하는 데 중요한 역할을 합니다. AI는 전체 글의 구조를 분석하고, 논리적 흐름을 확인하여 필요한 경우 구조를 재조정할 수 있습니다. 이는 특히 복잡한 주제를 다룰 때 매우 유용합니다. 예를 들어, AI는 글의 각 단락이 주제를 제대로 다루고 있는지, 논리적 연결이 적절한지 확인할 수 있습니다. 이를 통해 글쓴이는 더 명확하고 설득력 있는 글을 작성할 수 있습니다. 또한, AI는 다양한 글쓰기 스타일을 학습하여 작가가 원하는 스타일에 맞추어 글을 작성할 수 있도록 돕습니다. 이는 글의 일관성을 유지하는 데 큰 도움이 됩니다.

AI는 다양한 형태의 콘텐츠 제작에도 큰 도움이 됩니다. 예를 들어, 블로그 포스트, 뉴스 기사, 학술 논문 등 다양한 형태의 글쓰기에 AI를 활용할 수 있습니다. AI는 각기 다른 글쓰기 요구에 맞춰 최적화된 글을 생성할 수 있습니다. 이는 특히 여러 형태의 글쓰기를 동시에 진행하는 작가에게 매우 유용합니다. AI는 각 형태의 글쓰기 요구에 맞추어 글의 구조, 톤, 스타일을 조정할 수 있습니다. 이를 통해 작가는 더 효율적으로 다양한 콘텐츠를 생산할 수 있으며, 각 콘텐츠의 품질을 높일 수 있습니다. 또한, AI는 번역 작업에도 유용하게 활용될 수 있어 글로벌 독자에게 다가가는 데 큰 도움을 줍니다.

마지막으로, AI는 글쓰기의 창의적 과정에도 큰 도움을 줍니다. AI는 방대한 데이터를 분석하여 새로운 아이디어를 제안할 수 있습니다. 예를 들어, AI는 다양한 주제에 대한 최신 정보를 제공하고, 이를 바탕으로 글의 주제를 확장하거나 심화할 수 있는 아이디어를 제안합니다.

이러한 기능은 특히 글쓰기의 아이디어 고갈 문제를 해결하는 데 큰 도움이 됩니다. 또한, AI는 다양한 창의적 기법을 활용하여 글의 내용을 풍부하게 만들 수 있습니다. 예를 들어, AI는 비유, 은유, 스토리텔링 기법 등을 제안하여 글의 표현력을 높일 수 있습니다. 이를 통해 글쓴이는 더 창의적이고 독창적인 글을 작성할 수 있습니다.

초보자를 위한 AI 글쓰기 가이드

AI를 활용한 글쓰기는 초보자에게도 매우 유용한 도구입니다. AI는 글쓰기 초안을 빠르게 작성하고, 문법과 스타일을 교정하며, 아이디어를 제안하는 등 다양한 기능을 제공합니다. 초보자는 이러한 AI 도구를 활용하여 글쓰기의 기본을 배우고, 자신의 글쓰기 능력을 향상시킬 수 있습니다. 예를 들어, 초보자는 AI의 도움으로 글의 구조를 잡고, 주제를 체계적으로 전개하는 방법을 배울 수 있습니다. AI는 또한 초보자가 자주 범하는 오류를 교정하여, 글의 품질을 높이는 데 큰 도움을 줍니다. 이를 통해 초보자는 자신감을 가지고 글쓰기에 도전할 수 있습니다.

AI 글쓰기 도구를 활용하는 첫 번째 단계는 적절한 도구를 선택하는 것입니다. 시장에는 다양한 AI 글쓰기 도구가 있으며, 각 도구는 고유한 기능과 강점을 가지고 있습니다. 예를 들어, Grammarly는 문법과 스타일 교정에 특화된 도구이며, Jasper AI는 창의적 글쓰기와 마케팅 콘텐츠 제작에 강점을 가지고 있습니다. 초보자는 자신의 필요에 맞는 도구를 선택하고, 이를 효과적으로 활용하는 방법을 배워야 합니다. 각 도구의 기능을 이해하고, 이를 글쓰기 과정에 통합하는 방법을 배우면, 글쓰기의 효율성과 품질을 크게 향상시킬 수 있습니다.

AI 글쓰기 도구를 활용하는 두 번째 단계는 도구의 기능을 최대한 활용하는 것입니다. 예를 들어, AI 도구는 주제에 대한 자료를 검색하고, 이를 바탕으로 초안을 작성하는 데 큰 도움을 줄 수 있습니다. 또한, AI 도구는 작성된 글을 분석하여 문법적 오류를 교정하고, 스타일을 개선하는 데 도움을 줄 수 있습니다. 초보자는 이러한 기능을 적극적으로 활용하여 글의 품질을 높일 수 있습니다. 예를 들어, AI 도구를 사용하여 글의 초안을 작성한 후, 이를 바탕으로 자신의 아이디어를 추가하고, 문장을 다듬는 과정을 통해 글의 완성도를 높일 수 있습니다.

AI 글쓰기 도구를 활용하는 세 번째 단계는 피드백을 받아들이고, 이를 바탕으로 글을 개선하는 것입니다. AI 도구는 작성된 글에 대한 피드백을 제공하며, 이를 바탕으로 글을 수정하고 개선할 수 있습니다. 초보자는 AI의 피드백을 적극적으로 받아들이고, 이를 바탕으로 글을 다듬는 과정을 통해 글쓰기 능력을 향상시킬 수 있습니다. 예를 들어, AI 도구는 문법적 오류나 불명확한 표현을 지적하고, 이를 개선하는 방법을 제안할 수 있습니다. 초보자는 이러한 피드백을 받아들여 글을 수정하고, 더 나은 글을 작성할 수 있습니다.

마지막으로, AI 글쓰기 도구를 활용하는 네 번째 단계는 지속적인 연습과 학습입니다. AI 도구는 글쓰기의 기초를 배우고, 이를 통해 글쓰기 능력을 향상시키는 데 큰 도움을 줄 수 있습니다. 그러나 글쓰기 능력을 지속적으로 향상시키기 위해서는 지속적인 연습과 학습이 필요합니다. 초보자는 AI 도구를 활용하여 글을 작성하고, 이를 바탕으로 지속적으로 연습하고 학습해야 합니다.

예를 들어, 다양한 주제에 대해 글을 작성하고, AI의 피드백을 받아들여 글을 수정하는 과정을 반복함으로써 글쓰기 능력을 향상시킬 수 있습니다. 이를 통해 초보자는 글쓰기의 기본을 확실히 다지고, 자신의 글쓰기 능력을 극대화할 수 있습니다.

실전 예시와 응용

AI를 활용한 글쓰기의 실전 예시는 매우 다양합니다. 예를 들어, 블로그 포스트 작성에 AI를 활용할 수 있습니다. 블로그 포스트는 주제를 설정하고, 이를 체계적으로 전개하는 것이 중요합니다. AI는 주제에 대한 자료를 검색하고, 이를 바탕으로 논리적이고 일관된 글을 작성하는 데 큰 도움을 줍니다. 또한, AI는 문법적 오류를 교정하고, 스타일을 개선하여 글의 품질을 높이는 데 기여합니다. 이를 통해 블로그 포스트 작성이 더 쉽고 효율적으로 이루어질 수 있습니다. 실제 사례로, AI 도구를 활용하여 작성된 블로그 포스트가 높은 조회수를 기록한 예를 들 수 있습니다.

AI를 활용한 글쓰기의 또 다른 예시는 전자책 출판입니다. 전자책은 내용의 깊이와 일관성이 중요합니다. AI는 전자책의 각 장을 체계적으로 구성하고, 논리적 흐름을 유지하는 데 큰 도움을 줄 수 있습니다. 예를 들어, AI는 각 장의 주제를 설정하고, 이를 바탕으로 내용을 전개하며, 문법적 오류를 교정하고, 스타일을 개선하는 작업을 수행할 수 있습니다. 이를 통해 전자책의 품질을 높이고, 독자의 만족도를 높일 수 있습니다. 실제로, AI를 활용하여 전자책을 출판한 작가들이 높은 판매 실적을 기록한 사례가 많이 있습니다.

AI는 또한 마케팅 콘텐츠 작성에 큰 도움을 줄 수 있습니다. 예를 들어, 광고 카피 작성, 소셜 미디어 포스트 작성, 뉴스레터 작성 등에 AI를 활용할 수 있습니다. AI는 마케팅 콘텐츠의 목적에 맞춰 최적화된 글을 작성하고, 문법적 오류를 교정하며, 스타일을 개선하는 작업을 수행합니다. 이를 통해 마케팅 콘텐츠의 효과를 극대화할 수 있습니다. 실제 사례로, AI를 활용하여 작성된 광고 카피가 높은 클릭률을 기록하고, 판매로 이어진 예를 들 수 있습니다. 이러한 예시는 AI가 마케팅 콘텐츠 작성에서 중요한 역할을 할 수 있음을 보여줍니다.

AI를 활용한 글쓰기의 또 다른 응용 예시는 학술 논문 작성입니다. 학술 논문은 논리적 일관성과 정확성이 중요합니다. AI는 자료 검색, 데이터 분석, 문법 교정, 스타일 개선 등 학술 논문 작성의 여러 단계를 지원할 수 있습니다. 예를 들어, AI는 주제에 맞는 최신 연구 자료를 검색하고, 이를 바탕으로 논문의 구조를 잡아줍니다. 또한, AI는 데이터 분석을 통해 논문의 근거를 강화하고, 문법적 오류를 교정하여 논문의 품질을 높입니다. 이를 통해 학술 논문 작성이 더 효율적이고 체계적으로 이루어질 수 있습니다.

마지막으로, AI는 번역 작업에도 큰 도움을 줄 수 있습니다. 글로벌 독자에게 다가가기 위해서는 정확하고 자연스러운 번역이 필요합니다. AI는 다양한 언어를 지원하며, 문맥을 이해하여 자연스러운 번역을 제공할 수 있습니다. 예를 들어, AI는 문장의 의미를 분석하고, 이를 바탕으로 적절한 번역을 제공합니다. 또한, AI는 문법적 오류를 교정하고, 스타일을 개선하여 번역의 품질을 높입니다. 이를 통해 글로벌 독자에게 다가가는 데 큰 도움이 될 수 있습니다. 실제로, AI를 활용하여 번역 작업을 수행한 결과, 글로벌 시장에서 성공을 거둔 사례가 많이 있습니다.

기술과 감성의 조화

AI와 인간의 협업

AI와 인간의 협업은 글쓰기의 새로운 가능성을 열어줍니다. AI는 글쓰기의 기초적인 작업을 자동화하여, 인간이 더 창의적이고 감성적인 부분에 집중할 수 있도록 돕습니다. 예를 들어, AI는 자료 조사, 초안 작성, 문법 교정 등의 작업을 수행하고, 인간은 이를 바탕으로 글의 창의성과 감성을 더합니다. 이러한 협업은 글의 품질을 높이고, 보다 독창적이고 감성적인 글을 작성할 수 있게 합니다. 실제 사례로, AI와 인간이 협업하여 작성한 소설이 높은 평가를 받은 예를 들 수 있습니다. 이러한 사례는 AI와 인간의 협업이 글쓰기의 새로운 가능성을 열어준다는 것을 보여줍니다.

AI는 인간의 글쓰기 능력을 보완하고 강화할 수 있습니다. AI는 방대한 데이터를 분석하여 새로운 아이디어를 제안하고, 글의 구조를 체계적으로 잡아줍니다. 이는 특히 복잡한 주제를 다룰 때 유용합니다. 예를 들어, AI는 다양한 정보를 바탕으로 주제에 대한 깊이 있는 분석을 제공하고, 이를 바탕으로 글의 논리적 흐름을 잡아줍니다. 인간은 이러한 분석을 바탕으로 자신의 창의적 아이디어를 추가하고, 감성적인 요소를 더합니다. 이를 통해 보다 깊이 있고 설득력 있는 글을 작성할 수 있습니다. 실제로, AI와 인간이 협업하여 작성한 논문이 학술지에 게재된 사례가 많이 있습니다.

AI와 인간의 협업은 글쓰기의 효율성을 크게 향상시킵니다. AI는 반복적인 작업을 자동화하여 인간이 더 중요한 작업에 집중할 수 있도록 돕습니다. 예를 들어, AI는 자료 조사, 데이터 분석, 문법 교정 등의 작업을 자동으로 수행하고, 인간은 이러한 결과를 바탕으로 글을 작성합니다. 이러한 협업은 글쓰기의 속도와 효율성을 높이고, 글의 품질을 향상시킵니다. 실제 사례로, AI를 활용하여 신속하게 작성된 보고서가 높은 평가를 받은 예를 들 수 있습니다. 이러한 사례는 AI와 인간의 협업이 글쓰기의 효율성을 크게 향상시킬 수 있음을 보여줍니다.

AI와 인간의 협업은 다양한 형태의 글쓰기에 적용될 수 있습니다. 예를 들어, 소설, 기사, 블로그 포스트, 학술 논문 등 다양한 형태의 글쓰기에 AI를 활용할 수 있습니다. AI는 각기 다른 글쓰기 요구에 맞춰 최적화된 글을 생성하고, 인간은 이를 바탕으로 창의적이고 감성적인 요소를 추가합니다. 이를 통해 다양한 형태의 글쓰기를 효율적으로 수행할 수 있습니다. 실제로, AI와 인간이 협업하여 작성된 다양한 형태의 글이 높은 평가를 받은 사례가 많이 있습니다. 이러한 사례는 AI와 인간의 협업이 글쓰기의 모든 영역에서 유용하게 활용될 수 있음을 보여줍니다.

마지막으로, AI와 인간의 협업은 글쓰기의 미래를 밝게 합니다. AI 기술은 계속해서 발전하고 있으며, 이에 따라 글쓰기의 방식도 혁신적으로 변화하고 있습니다. AI와 인간이 협업하여 글을 작성하는 방식은 앞으로 더욱 보편화될 것입니다. 이는 글쓰기의 새로운 가능성을 열어주며, 이를 통해 보다 높은 품질의 글을 작성할 수 있게 할 것입니다.

미래에는 AI와 인간이 협업하여 더 창의적이고 감성적인 글을 작성하고, 이를 통해 독자에게 더 큰 감동을 줄 수 있을 것입니다. 이러한 미래 지향적인 접근은 글쓰기의 새로운 가능성을 열어주며, 이를 통해 더 많은 사람들이 성공할 수 있는 기회를 제공할 것입니다.

감성적 글쓰기의 중요성

감성적 글쓰기는 독자와의 깊은 연결을 가능하게 합니다. 감정은 인간 경험의 중심에 있으며, 글을 통해 감정을 효과적으로 전달하면 독자는 글에 더욱 몰입하게 됩니다. 예를 들어, 감동적인 이야기나 공감할 수 있는 상황을 제시하면 독자는 글의 메시지를 더 잘 이해하고 기억하게 됩니다. 이는 특히 소설, 에세이, 블로그 포스트 등에서 중요한 요소입니다. 감성적 글쓰기를 통해 독자의 감정을 자극하고, 그들과 깊은 유대감을 형성할 수 있습니다. 실제로, 감성적인 요소가 잘 포함된 글이 높은 평가를 받는 경우가 많습니다.

감성적 글쓰기는 글의 설득력을 높이는 데도 중요한 역할을 합니다. 논리적인 글쓰기도 중요하지만, 독자의 감정을 움직이는 글은 더 강력한 영향을 미칠 수 있습니다. 예를 들어, 설득력 있는 글을 작성할 때 감성적인 사례나 개인적인 이야기를 포함하면 독자는 글의 메시지에 더 쉽게 공감하고, 이를 받아들일 가능성이 높아집니다.

이는 마케팅 글쓰기, 연설문 작성, 논문 작성 등에서도 중요한 요소입니다. 감성적 글쓰기를 통해 독자의 마음을 움직이고, 글의 설득력을 극대화할 수 있습니다. 실제로, 감성적인 요소가 포함된 마케팅 캠페인이 높은 성과를 거둔 사례가 많이 있습니다.

AI는 감성적 글쓰기를 돕는 중요한 도구가 될 수 있습니다. AI는 방대한 데이터를 분석하여 독자의 감정을 이해하고, 이를 바탕으로 감성적인 요소를 포함한 글을 작성할 수 있습니다. 예를 들어, AI는 독자의 반응을 분석하여 어떤 요소가 감정을 자극하는지 파악하고, 이를 바탕으로 글의 구조와 내용을 조정할 수 있습니다. 또한, AI는 다양한 감성적 표현 기법을 학습하여 글에 자연스럽게 감성적인 요소를 포함할 수 있습니다. 이를 통해 글의 품질을 높이고, 독자와의 감정적 연결을 강화할 수 있습니다. 실제로, AI를 활용하여 감성적 글쓰기를 성공적으로 수행한 사례가 많이 있습니다.

감성적 글쓰기는 브랜드 스토리텔링에서도 중요한 역할을 합니다. 브랜드는 제품이나 서비스를 넘어서, 소비자와의 감정적인 연결을 통해 더 큰 가치를 창출할 수 있습니다. 예를 들어, 브랜드의 역사, 가치, 비전 등을 감성적으로 전달하면 소비자는 브랜드에 대한 긍정적인 감정을 가지게 됩니다. 이는 브랜드 충성도를 높이고, 장기적인 고객 관계를 구축하는 데 중요한 요소입니다. AI는 브랜드 스토리텔링에서도 감성적인 요소를 효과적으로 포함할 수 있도록 돕습니다. 예를 들어, AI는 브랜드의 이야기를 분석하고, 이를 감성적으로 전달하는 방법을 제안할 수 있습니다.

마지막으로, 감성적 글쓰기는 개인 브랜딩에서도 중요한 역할을 합니다. 개인 브랜드는 자신을 표현하고, 다른 사람들과의 관계를 형성하는 데 중요한 도구입니다. 감성적인 요소를 포함한 글을 통해 개인의 이야기를 효과적으로 전달하면, 독자는 그 개인에 대해 더 깊이 이해하고 공감하게 됩니다. 이는 개인의 신뢰도와 인지도를 높이는 데 중요한 요소입니다. 예를 들어, 개인 블로그나 소셜 미디어에서 감성적인 글을 작성하면 독자는 그 개인에 대해 더 큰 관심을 가지게 됩니다. AI는 개인 브랜딩에서도 감성적인 글쓰기를 돕는 도구로 활용될 수 있습니다.

AI가 감성을 이해하는 방법

AI가 감성을 이해하는 방법은 크게 두 가지로 나눌 수 있습니다. 첫 번째는 데이터 분석을 통한 감정 인식입니다. AI는 방대한 양의 데이터를 분석하여 인간의 감정을 이해하는 데 도움을 줍니다. 예를 들어, AI는 소셜 미디어 게시물, 리뷰, 피드백 등을 분석하여 사람들이 특정 주제에 대해 어떻게 느끼는지 파악할 수 있습니다. 이러한 분석을 통해 AI는 글의 톤, 분위기, 감정 상태를 이해하고, 이를 바탕으로 적절한 감성적 표현을 포함할 수 있습니다. 실제로, AI가 소셜 미디어 데이터를 분석하여 특정 제품에 대한 소비자의 감정을 파악하고, 이를 바탕으로 마케팅 전략을 제안한 사례가 많이 있습니다.

두 번째 방법은 자연어 처리(NLP) 기술을 활용한 감성 분석입니다. NLP는 AI가 인간 언어를 이해하고 처리하는 데 사용하는 기술입니다.

AI는 NLP를 통해 텍스트의 의미를 분석하고, 문맥을 이해하여 감정을 파악할 수 있습니다. 예를 들어, AI는 텍스트에서 긍정적, 부정적, 중립적 감정을 인식하고, 이를 바탕으로 글의 감성적 요소를 조정할 수 있습니다. 이러한 기술은 특히 고객 서비스, 리뷰 분석, 소셜 미디어 모니터링 등에서 유용하게 활용됩니다. 실제 사례로, AI가 고객 서비스 채팅에서 고객의 감정을 파악하고, 적절한 대응을 제안한 예를 들 수 있습니다.

AI는 또한 심층 학습(Deep Learning)을 통해 감성을 더 정교하게 이해할 수 있습니다. 심층 학습은 AI가 여러 층의 인공신경망을 통해 데이터를 학습하는 방법입니다. 이를 통해 AI는 더 복잡하고 미묘한 감정 표현을 이해할 수 있게 됩니다. 예를 들어, AI는 영화 리뷰를 분석하여 단순한 긍정/부정 평가를 넘어, 리뷰에서 느껴지는 다양한 감정을 파악할 수 있습니다. 이러한 심층 학습 기술은 감성적 글쓰기에 큰 도움이 됩니다. AI는 글의 각 문장에서 느껴지는 미묘한 감정을 이해하고, 이를 바탕으로 글의 톤과 스타일을 조정할 수 있습니다.

AI가 감성을 이해하는 또 다른 방법은 인간과의 상호작용을 통해 학습하는 것입니다. AI는 인간과의 대화를 통해 실시간으로 감정을 학습하고, 이에 맞춰 반응할 수 있습니다. 예를 들어, AI 챗봇은 사용자와의 대화를 통해 사용자의 감정을 파악하고, 이에 맞춰 적절한 답변을 제공합니다. 이러한 상호작용을 통해 AI는 더 자연스럽고 인간적인 감정 이해 능력을 갖추게 됩니다. 실제로, AI 챗봇이 고객 서비스에서 고객의 감정을 파악하고, 이에 맞춰 개인화된 서비스를 제공한 사례가 많이 있습니다.

마지막으로, AI는 멀티모달 감성 인식을 통해 감성을 이해할 수 있습니다. 멀티모달 감성 인식은 텍스트뿐만 아니라 음성, 영상 등 다양한 형태의 데이터를 동시에 분석하여 감정을 파악하는 방법입니다. 예를 들어, AI는 텍스트 대화뿐만 아니라 음성 톤, 얼굴 표정 등을 분석하여 사용자의 감정을 더 정확하게 이해할 수 있습니다. 이러한 멀티모달 접근은 특히 고객 서비스, 원격 교육, 헬스케어 등 다양한 분야에서 유용하게 활용됩니다. 실제로, AI가 멀티모달 감성 인식을 통해 고객의 감정을 파악하고, 이를 바탕으로 맞춤형 서비스를 제공한 사례가 많이 있습니다.

인공지능의 한계와 가능성

AI의 현재 한계

AI는 많은 가능성을 가지고 있지만, 여전히 몇 가지 중요한 한계를 가지고 있습니다. 첫 번째로, AI는 감정과 창의성을 완전히 이해하고 표현하는 데 제한이 있습니다. 예를 들어, AI는 데이터를 기반으로 패턴을 인식하고 예측할 수 있지만, 인간의 복잡한 감정이나 창의적인 사고를 완전히 모방하는 것은 어렵습니다. 이는 특히 예술적 글쓰기나 창의적인 작업에서 큰 제약이 됩니다. AI가 생성한 글은 종종 기술적으로는 완벽할지 모르지만, 인간적인 감성과 창의성이 부족할 수 있습니다. 이는 AI가 인간의 창의적 작업을 완전히 대체할 수 없는 이유 중 하나입니다.

두 번째 한계는 AI의 윤리적 문제입니다. AI는 데이터를 기반으로 작동하기 때문에, 데이터의 편향이나 부정확성에 의해 영향을 받을 수 있습니다. 예를 들어, AI가 편향된 데이터를 학습하면, 그 결과물 역시 편향될 가능성이 높습니다. 이는 특히 글쓰기에서 중요한 윤리적 문제를 제기합니다. AI가 작성한 글이 특정 집단에 대해 편향된 시각을 반영하거나, 부정확한 정보를 전달할 위험이 있습니다. 따라서 AI를 사용할 때는 데이터의 출처와 품질을 철저히 검토하고, 윤리적 기준을 엄격히 적용해야 합니다. 이는 AI 기술의 발전과 함께 지속적으로 해결해야 할 과제입니다.

세 번째 한계는 AI의 기술적 제한입니다. 현재의 AI 기술은 특정 영역에서 매우 뛰어난 성능을 보이지만, 일반적인 지능(General Intelligence)을 구현하는 데는 아직 한계가 있습니다. 예를 들어, AI는 특정 주제에 대한 글을 작성하는 데 매우 유용하지만, 다양한 주제를 다루거나 새로운 상황에 적응하는 능력은 제한적입니다. 이는 AI가 특정 작업에서는 뛰어난 성능을 발휘하지만, 인간의 전반적인 지능과 창의성을 대체할 수 없음을 의미합니다. 따라서 AI는 인간의 도구로서 활용되며, 인간의 지능과 창의성을 보완하는 역할을 해야 합니다.

네 번째 한계는 AI의 데이터 의존성입니다. AI는 학습을 위해 방대한 양의 데이터를 필요로 하며, 데이터의 품질과 양이 성능에 큰 영향을 미칩니다. 그러나 모든 분야에서 충분한 데이터가 존재하는 것은 아니며, 데이터 수집과 처리 과정에서도 많은 어려움이 있습니다. 예를 들어, 특정 전문 분야나 소수 언어의 경우 데이터가 부족하여 AI의 성능이 떨어질 수 있습니다. 또한, 데이터 수집 과정에서 개인정보 보호와 같은 윤리적 문제가 발생할 수 있습니다. 이러한 한계는 AI의 활용 범위를 제한하며, 지속적인 연구와 개선이 필요합니다.

마지막으로, AI의 한계는 기술의 복잡성과 높은 비용입니다. AI 기술을 효과적으로 활용하기 위해서는 고도의 기술적 지식과 인프라가 필요하며, 이는 많은 비용과 자원을 요구합니다. 예를 들어, AI 모델을 학습시키고 운영하는 데 필요한 컴퓨팅 자원과 데이터 저장소는 매우 비용이 많이 들 수 있습니다. 또한, AI 기술을 개발하고 유지보수하기 위해서는 고도의 기술적 전문가가 필요합니다. 이러한 한계는 AI 기술의 보급과 활용을 제한하며, 특히 중소기업이나 개인이 AI를 활용하는 데 어려움을 겪을 수 있습니다.

미래의 가능성 탐구

AI의 발전은 우리가 상상할 수 있는 것 이상으로 다양한 가능성을 열어줍니다. 첫 번째로, AI는 글쓰기의 효율성과 창의성을 크게 향상시킬 수 있습니다. 예를 들어, AI는 복잡한 데이터를 빠르게 분석하고, 이를 바탕으로 논리적이고 일관된 글을 작성하는 데 큰 도움을 줄 수 있습니다. 또한, AI는 새로운 아이디어를 제안하고, 창의적인 표현을 돕는 등 글쓰기의 창의성을 증진할 수 있습니다. 이러한 기능은 특히 전문 작가뿐만 아니라 일반 사람들도 쉽게 글을 작성하고, 자신의 생각을 효과적으로 표현할 수 있게 합니다. 미래에는 AI가 글쓰기의 혁신을 이끌고, 더 많은 사람들이 글쓰기를 통해 자신을 표현할 수 있는 기회를 제공할 것입니다.

두 번째로, AI는 개인화된 글쓰기를 가능하게 합니다. AI는 독자의 성향과 관심사를 분석하여 맞춤형 콘텐츠를 제공할 수 있습니다. 예를 들어, AI는 독자의 읽기 습관과 반응을 분석하여,

개인에게 최적화된 글을 작성할 수 있습니다. 이는 독자의 참여를 높이고, 더 깊은 감정적 연결을 형성할 수 있게 합니다. 또한, AI는 다양한 언어와 문화적 배경을 고려하여, 글로벌 독자를 대상으로 한 글쓰기를 지원할 수 있습니다. 미래에는 AI가 개인화된 글쓰기를 통해 독자와의 관계를 강화하고, 더 많은 사람들이 맞춤형 콘텐츠를 통해 자신의 요구를 충족할 수 있게 될 것입니다.

세 번째로, AI는 교육 분야에서 혁신을 가져올 것입니다. AI는 학습자의 수준과 필요에 맞춰 개인화된 학습 자료를 제공할 수 있습니다. 예를 들어, AI는 학생의 학습 패턴을 분석하여, 이해하기 어려운 개념을 쉽게 설명하거나, 추가 학습 자료를 추천할 수 있습니다. 이는 학생의 학습 효율성을 높이고, 개별 학습의 가능성을 열어줍니다. 또한, AI는 자동 채점과 피드백 제공을 통해 교사의 업무를 경감시키고, 더 많은 시간을 학생과의 상호작용에 집중할 수 있게 합니다. 미래에는 AI가 교육의 질을 높이고, 더 많은 학생들이 자신의 잠재력을 최대한 발휘할 수 있게 할 것입니다.

네 번째로, AI는 다양한 산업 분야에서 새로운 기회를 창출할 것입니다. 예를 들어, AI는 마케팅, 의료, 금융 등 다양한 분야에서 데이터를 분석하고, 맞춤형 전략을 제안할 수 있습니다. 이는 기업의 효율성을 높이고, 경쟁력을 강화하는 데 큰 도움이 됩니다. 또한, AI는 자동화된 고객 서비스, 예측 분석 등 다양한 기능을 통해 기업의 운영을 최적화할 수 있습니다. 미래에는 AI가 다양한 산업 분야에서 혁신을 이끌고, 더 많은 기업들이 AI 기술을 통해 성장과 발전을 이룰 수 있게 될 것입니다.

마지막으로, AI는 사회적 문제 해결에도 중요한 역할을 할 것입니다. AI는 방대한 데이터를 분석하여, 사회적 문제를 예측하고 해결하는 데 도움을 줄 수 있습니다. 예를 들어, AI는 환경 문제, 건강 문제, 빈곤 문제 등 다양한 사회적 문제를 분석하고, 효과적인 해결책을 제안할 수 있습니다. 또한, AI는 정책 결정과 행정 업무를 지원하여, 정부와 공공기관의 효율성을 높일 수 있습니다. 미래에는 AI가 사회적 문제 해결에 중요한 역할을 하고, 더 나은 세상을 만드는 데 기여할 것입니다.

윤리적 고려사항

AI 기술의 발전과 함께, 윤리적 고려사항은 더욱 중요해지고 있습니다. 첫 번째로, 개인정보 보호는 AI 사용에서 가장 중요한 윤리적 문제 중 하나입니다. AI는 방대한 양의 데이터를 수집하고 분석하여 작동합니다. 이 과정에서 개인정보가 포함될 수 있으며, 이는 개인의 프라이버시를 침해할 위험이 있습니다. 예를 들어, AI가 사용자의 행동 패턴을 분석하여 맞춤형 서비스를 제공할 때, 사용자의 동의 없이 개인정보를 수집하거나 활용할 경우 법적 문제와 윤리적 논란이 발생할 수 있습니다. 따라서, AI를 활용할 때는 개인정보 보호법을 준수하고, 사용자의 동의를 명확히 받아야 합니다.

두 번째 윤리적 고려사항은 데이터 편향과 공정성입니다. AI는 학습 데이터를 기반으로 작동하기 때문에, 데이터의 편향이 AI의 결과물에 영향을 미칠 수 있습니다. 예를 들어, 특정 집단에 대한 편향된 데이터로 학습한 AI는 차별적이거나 불공정한 결정을 내릴 수 있습니다. 이는 사회적 불평등을 심화시키고, AI 기술에 대한 신뢰를 저하시킬 수 있습니다. 따라서, AI를 개발하고 사용하는 과정에서 데이터의 공정성을 확보하고, 다양한 출처의 데이터를 사용하여 편향을 최소화해야 합니다. 이는 AI의 공정성과 신뢰성을 높이는 데 중요한 역할을 합니다.

세 번째 윤리적 고려사항은 AI의 투명성과 설명 가능성입니다. AI는 복잡한 알고리즘을 기반으로 작동하기 때문에, 그 결과물을 이해하고 설명하는 데 어려움이 있을 수 있습니다. 이는 특히 중요한 결정에 AI를 활용할 때 문제가 됩니다. 예를 들어, AI가 의료 진단을 내리거나 법적 결정을 지원할 때, 그 과정과 결과를 명확히 설명할 수 있어야 합니다. 이는 결정의 신뢰성을 높이고, 잘못된 결정으로 인한 피해를 줄이는 데 중요합니다. 따라서, AI를 설계할 때는 투명성과 설명 가능성을 고려하여, 결과물을 이해하고 설명할 수 있는 방법을 마련해야 합니다.

네 번째 윤리적 고려사항은 AI의 악용 가능성입니다. AI 기술은 매우 강력한 도구이지만, 악의적으로 사용될 경우 심각한 피해를 초래할 수 있습니다. 예를 들어, AI를 활용한 사이버 공격, 가짜 뉴스 생성, 개인정보 도용 등 다양한 형태의 악용이 가능하며, 이는 개인과 사회에 큰 피해를 줄 수 있습니다. 따라서, AI를 개발하고 사용하는 과정에서 악용 가능성을 고려하고, 이를 방지할 수 있는 보안 조치를 마련해야 합니다. 또한, AI 기술의 악용을 예방하기 위한 법적, 제도적 장치를 마련하는 것도 중요합니다.

마지막 윤리적 고려사항은 AI의 사회적 영향입니다. AI 기술은 다양한 분야에서 긍정적인 변화를 가져올 수 있지만, 동시에 사회적 불평등을 심화시킬 위험도 있습니다. 예를 들어, AI의 도입으로 인해 일자리 감소, 소득 불평등, 교육 격차 등의 문제가 발생할 수 있습니다. 이러한 문제를 해결하기 위해서는 AI 기술의 사회적 영향을 면밀히 분석하고, 이를 바탕으로 적절한 정책을 마련해야 합니다. 또한, AI 기술의 혜택이 모든 사람에게 공정하게 돌아갈 수 있도록 사회적 안전망을 강화하는 것도 중요합니다. 이는 AI 기술이 지속 가능한 발전을 이루는 데 중요한 역할을 합니다.

제 2 장

글쓰기와
마케팅의 융합

브랜드 스토리텔링은 소비자와 감정적 연결을 맺기 위해 중요하며, 일관성, 진정성, 상호작용, 시각적 요소, 지속적 발전을 고려해야 하며, AI 도구는 창작 과정을 향상시키는 데 활용될 수 있습니다.

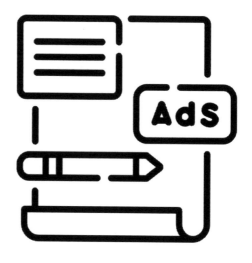

스토리텔링의 힘

브랜드 스토리 구축하기

브랜드 스토리 구축은 마케팅 전략의 핵심입니다. 브랜드 스토리는 단순한 제품 설명을 넘어, 소비자와 감정적 연결을 형성하는 데 중요한 역할을 합니다. 예를 들어, 유명 스포츠 브랜드인 나이키는 단순한 운동화를 판매하는 것이 아니라, 'Just Do It'이라는 슬로건을 통해 도전과 열정을 상징하는 브랜드로 자리 잡았습니다. 이러한 브랜드 스토리는 소비자에게 강력한 감정적 인상을 남기며, 브랜드 충성도를 높이는 데 기여합니다. 브랜드 스토리를 효과적으로 구축하기 위해서는 브랜드의 역사, 가치, 비전 등을 감성적으로 전달하는 것이 중요합니다.

브랜드 스토리의 성공은 일관성과 진정성에 달려 있습니다. 소비자들은 진정성 있는 이야기에 더 큰 신뢰를 가집니다. 예를 들어, 핀란드의 노키아는 한때 세계 최대의 휴대폰 제조사였지만, 스마트폰 시장에서의 실패 이후 회사를 재정비하여 네트워크 장비 회사로 변모했습니다. 이 과정에서 노키아는 'Connecting People'이라는 본래의 브랜드 가치를 재조명하며, 네트워크 기술을 통해 사람들을 연결하는 이야기를 전달했습니다. 이러한 일관된 메시지와 진정성 있는 스토리는 소비자들에게 깊은 인상을 남기며, 브랜드의 재기를 도왔습니다.

브랜드 스토리를 구축할 때는 소비자와의 상호작용을 고려해야 합니다. 소비자들은 이제 단순히 정보를 받는 수동적인 존재가 아니라,

브랜드와의 상호작용을 통해 더 깊은 관계를 맺고자 합니다. 예를 들어, 스타벅스는 소비자와의 소통을 중요시하며, 매장 내 경험과 소셜 미디어를 통해 고객과의 관계를 강화하고 있습니다. 스타벅스의 브랜드 스토리는 단순한 커피 판매가 아니라, '제3의 공간'을 제공하는 것입니다. 이를 통해 스타벅스는 소비자에게 특별한 경험을 제공하며, 강력한 브랜드 충성도를 유지하고 있습니다.

브랜드 스토리는 시각적 요소와 함께 전달될 때 그 효과가 극대화됩니다. 시각적 요소는 스토리를 더 생생하게 전달하고, 소비자의 관심을 끌기 위한 중요한 도구입니다. 예를 들어, 애플은 제품 디자인과 마케팅에서 일관된 시각적 요소를 사용하여 브랜드 이미지를 구축하고 있습니다. 애플의 광고는 항상 미니멀리즘과 혁신을 강조하며, 이는 제품의 디자인과 일치합니다. 이러한 시각적 요소는 소비자에게 브랜드의 핵심 가치를 직관적으로 전달하며, 브랜드 인지도를 높이는 데 중요한 역할을 합니다.

마지막으로, 브랜드 스토리는 지속적으로 발전하고 확장되어야 합니다. 시장 환경과 소비자 요구는 끊임없이 변화하며, 브랜드 스토리도 이에 맞춰 진화해야 합니다. 예를 들어, 테슬라는 초기에는 전기 자동차의 혁신을 강조했지만, 현재는 지속 가능한 에너지와 자율 주행 기술로 브랜드 스토리를 확장하고 있습니다. 이러한 지속적인 발전은 소비자에게 브랜드의 역동성과 혁신성을 전달하며, 장기적인 브랜드 충성도를 유지하는 데 도움이 됩니다. 브랜드 스토리는 단순한 이야기가 아니라, 브랜드의 지속적인 성장과 변화를 반영하는 살아있는 콘텐츠입니다.

성공적인 스토리텔링 사례

성공적인 스토리텔링 사례 중 하나는 다이슨의 혁신 이야기입니다. 다이슨은 기존의 진공청소기 시장에 혁신적인 기술을 도입하여 차별화를 이뤘습니다. 제임스 다이슨 창립자는 5,127번의 실패 끝에 무선 진공청소기를 개발했으며, 이러한 도전과 혁신의 이야기는 소비자들에게 큰 감동을 주었습니다. 다이슨의 스토리텔링은 단순히 제품의 기능을 설명하는 것이 아니라, 창립자의 열정과 끈기를 강조하여 브랜드에 대한 깊은 신뢰를 형성했습니다. 이러한 스토리텔링은 다이슨이 프리미엄 가전제품 시장에서 확고한 위치를 차지하는 데 중요한 역할을 했습니다.

또 다른 성공적인 사례는 코카콜라의 '쉐어 어 코크(Share a Coke)' 캠페인입니다. 코카콜라는 소비자와의 개인적인 연결을 강화하기 위해 특정 이름을 병에 인쇄하는 전략을 사용했습니다. 이 캠페인은 소비자들에게 자신 또는 친구의 이름이 인쇄된 코카콜라를 찾는 재미를 제공했으며, 이를 통해 브랜드와의 개인적인 연결을 형성했습니다. 소비자들은 소셜 미디어에 자신의 코카콜라 사진을 공유하며, 자연스럽게 브랜드 홍보가 이루어졌습니다. 이 캠페인은 코카콜라의 매출을 크게 증가시키며, 브랜드 인지도와 소비자 참여를 극대화한 성공적인 사례로 평가받고 있습니다.

페덱스의 '절대적인 신뢰' 스토리텔링도 성공적인 사례 중 하나입니다. 페덱스는 '절대적인 신뢰'라는 브랜드 가치를 강조하며, 언제 어디서나 정확한 배송을 약속했습니다. 이를 뒷받침하는 다양한 실제 사례를 통해 소비자들에게 신뢰를 심어주었습니다. 예를 들어, 한 직원이 폭설 속에서 생필품을 배송한 이야기는 소비자들에게 깊은 인상을 주었으며, 페덱스의 신뢰성을 강화했습니다. 이러한 스토리텔링은 소비자들에게 페덱스를 선택해야 할 명확한 이유를 제공하며, 브랜드 충성도를 높이는 데 기여했습니다.

브랜드 스토리텔링의 또 다른 성공 사례는 에어비앤비입니다. 에어비앤비는 '여행은 현지인처럼'이라는 메시지를 전달하며, 여행자와 호스트의 다양한 이야기를 통해 브랜드를 홍보했습니다. 실제로 호스트와 여행자가 경험한 이야기를 공유함으로써, 에어비앤비는 단순한 숙박 서비스가 아닌, 특별한 경험을 제공하는 플랫폼으로 자리매김했습니다. 이러한 스토리텔링은 소비자들에게 에어비앤비를 통해 새로운 문화를 체험하고, 현지인처럼 살아볼 수 있는 기회를 제공하며, 브랜드에 대한 강한 호감을 형성했습니다.

마지막으로, 애플의 스토리텔링은 브랜드 성공의 중요한 요소입니다. 애플은 제품의 혁신성과 사용자 경험을 강조하는 이야기를 통해 전 세계 소비자들에게 깊은 인상을 남겼습니다. 스티브 잡스의 비전과 열정을 중심으로 한 스토리텔링은 애플 제품이 단순한 전자기기가 아니라, 창의성과 혁신의 상징으로 자리매김하게 했습니다. 예를 들어, 첫 아이폰 발표 당시 잡스의 프레젠테이션은 단순한 제품 설명을 넘어, 새로운 시대의 시작을 알리는 강력한 메시지를 전달했습니다. 이러한 스토리텔링은 애플이 글로벌 시장에서 독보적인 위치를 차지하는 데 큰 역할을 했습니다.

AI 도구를 활용한 스토리 창작

AI 도구는 스토리 창작 과정에서 혁신적인 변화를 가져오고 있습니다. 첫 번째로, AI는 빠르고 효율적으로 초안을 작성하는 데 큰 도움을 줍니다. 예를 들어, GPT-4와 같은 언어 모델은 간단한 키워드나 주제를 입력하면 일관된 스토리 초안을 생성할 수 있습니다. 이는 작가가 초기 단계에서 아이디어를 구체화하는 데 중요한 역할을 합니다. AI는 방대한 데이터베이스를 활용하여 다양한 스토리 구조와 플롯을 제안하며, 작가가 창의적인 작업에 집중할 수 있도록 돕습니다. 이를 통해 스토리 창작의 효율성과 생산성을 크게 향상시킬 수 있습니다.

두 번째로, AI는 스토리의 감정적 요소를 강화하는 데 도움을 줍니다. AI는 텍스트 분석을 통해 감정의 톤과 분위기를 파악하고, 이를 바탕으로 스토리의 감정적 깊이를 더할 수 있는 제안을 합니다. 예를 들어, AI는 특정 장면에서 어떤 감정 표현이 효과적인지 제안하거나, 독자의 감정 반응을 분석하여 스토리를 조정할 수 있습니다. 이는 특히 감성적인 연결을 중요시하는 스토리텔링에서 유용합니다. AI의 이러한 기능은 작가가 독자의 감정을 움직이는 강력한 스토리를 창작하는 데 큰 도움을 줄 수 있습니다.

세 번째로, AI는 다양한 시나리오와 플롯을 실험하는 데 유용합니다. AI는 여러 가지 가능한 시나리오를 생성하고, 각 시나리오의 결과를 예측하여 작가가 가장 효과적인 스토리라인을 선택할 수 있도록 도와줍니다. 예를 들어, AI는 다양한 플롯 전개

방식을 제안하고, 각 방식이 어떻게 발전할 수 있는지 시뮬레이션할 수 있습니다. 이를 통해 작가는 다양한 창의적 가능성을 탐색하고, 가장 강력한 스토리라인을 선택할 수 있습니다. 이러한 기능은 스토리 창작 과정에서 시간과 노력을 절약하는 데 큰 도움이 됩니다.

네 번째로, AI는 스토리텔링의 일관성을 유지하는 데 중요한 역할을 합니다. 스토리의 일관성을 유지하는 것은 독자의 몰입을 위해 매우 중요합니다. AI는 전체 스토리의 구조를 분석하고, 논리적 일관성을 유지하도록 도와줍니다. 예를 들어, AI는 스토리의 각 장면과 사건이 전체 플롯과 일치하는지 확인하고, 불일치나 모순이 있는 부분을 수정할 수 있습니다. 이는 특히 복잡한 스토리 구조를 다룰 때 유용합니다. AI의 이러한 기능은 작가가 일관된 스토리를 작성하는 데 큰 도움을 줄 수 있습니다.

마지막으로, AI는 스토리 창작의 반복 작업을 자동화하여 작가의 부담을 줄여줍니다. 예를 들어, AI는 스토리의 배경 조사, 캐릭터 설정, 대화 작성 등의 반복 작업을 자동으로 수행할 수 있습니다. 이는 작가가 창의적인 작업에 더 많은 시간을 할애할 수 있도록 돕습니다. 또한, AI는 작가의 스타일과 톤을 학습하여 일관된 글쓰기를 지원합니다. 이러한 기능은 특히 대규모 프로젝트나 긴 스토리를 작성할 때 유용합니다. AI를 활용한 자동화는 스토리 창작의 효율성을 크게 향상시킬 수 있습니다.

상위 노출을 위한 전략

SEO와 AI

검색엔진 최적화(SEO)는 디지털 마케팅에서 필수적인 전략입니다. AI는 SEO의 여러 측면에서 강력한 도구로 사용될 수 있습니다. 첫 번째로, AI는 키워드 분석을 통해 가장 효과적인 키워드를 찾는 데 도움을 줍니다. 예를 들어, AI 도구는 경쟁 키워드를 분석하고, 검색 트렌드를 파악하여 최적의 키워드를 추천합니다. 이러한 키워드는 콘텐츠 작성 시 중요한 역할을 하며, 검색 결과에서 상위 노출을 가능하게 합니다. AI를 활용한 키워드 분석은 시간과 노력을 절약하면서도 높은 정확도를 제공합니다.

두 번째로, AI는 콘텐츠 최적화를 통해 SEO 성과를 극대화할 수 있습니다. AI는 작성된 콘텐츠를 분석하고, SEO 친화적인 구조로 수정할 수 있는 제안을 제공합니다. 예를 들어, AI는 제목, 부제목, 메타 태그, 이미지 ALT 태그 등의 최적화 방안을 제안합니다. 또한, AI는 콘텐츠의 가독성을 높이고, 사용자 경험을 개선하는 방법을 제시합니다. 이를 통해 작성된 콘텐츠가 검색엔진의 알고리즘에 더 잘 맞춰지게 되어 상위 노출 가능성이 높아집니다.

세 번째로, AI는 백링크 구축 전략을 지원합니다. 백링크는 SEO에서 중요한 요소 중 하나로, 다른 웹사이트에서 자신의 사이트로 연결되는 링크를 의미합니다. AI는 관련성이 높은 웹사이트를 찾아내고, 백링크 구축을 위한 최적의 방법을 제안할 수 있습니다. 예를 들어, AI는 경쟁 사이트의 백링크 프로필을 분석하고, 효과적인 백링크 소스를 추천합니다. 또한, AI는 이메일 템플릿을 제공하여 백링크 요청을 자동화할 수 있습니다. 이를 통해 백링크 구축 과정이 더 효율적이고 체계적으로 이루어질 수 있습니다.

네 번째로, AI는 사용자 경험(UX) 분석을 통해 SEO 성과를 개선할 수 있습니다. 검색엔진은 사용자 경험을 중요한 랭킹 요소로 고려합니다. AI는 웹사이트의 사용자 행동 데이터를 분석하여, 사용자 경험을 개선할 수 있는 방안을 제시합니다. 예를 들어, AI는 페이지 로딩 속도, 모바일 최적화, 사용자 네비게이션 등을 분석하고, 개선할 수 있는 방법을 제안합니다. 이를 통해 웹사이트의 SEO 성과를 향상시키고, 사용자 만족도를 높일 수 있습니다. AI의 UX 분석은 SEO 전략의 필수적인 부분이 될 수 있습니다.

마지막으로, AI는 SEO 성과를 지속적으로 모니터링하고 최적화할 수 있습니다. AI는 실시간으로 SEO 성과를 분석하고, 변동 사항에 맞춰 최적화 전략을 조정할 수 있습니다. 예를 들어, AI는 검색 트렌드의 변화를 실시간으로 감지하고, 이에 맞춰 키워드 전략을 수정할 수 있습니다. 또한, AI는 경쟁 사이트의 변화를 분석하여, 자신의 SEO 전략을 지속적으로 업데이트할 수 있습니다. 이러한 지속적인 모니터링과 최적화는 SEO 성과를 극대화하고, 검색 결과에서 상위 노출을 유지하는 데 중요한 역할을 합니다.

키워드 분석의 비밀

키워드 분석은 SEO의 핵심입니다. 첫 번째로, 효과적인 키워드 분석은 시장과 타겟 오디언스를 깊이 이해하는 것에서 시작됩니다.

예를 들어, 특정 주제에 대한 검색량과 경쟁 정도를 파악하여, 어떤 키워드가 가장 효과적인지 결정할 수 있습니다. AI 도구는 이러한 데이터를 분석하여, 검색량이 많고 경쟁이 적은 키워드를 추천합니다. 이를 통해 콘텐츠가 더 많은 사람들에게 도달할 수 있도록 도와줍니다. 키워드 분석을 통해 타겟 오디언스의 요구와 관심사를 파악하고, 이에 맞춘 콘텐츠를 제공하는 것이 중요합니다.

두 번째로, 롱테일 키워드의 중요성을 이해해야 합니다. 롱테일 키워드는 구체적이고 특수한 검색어로, 일반적인 키워드보다 경쟁이 적고 전환율이 높습니다. 예를 들어, '런닝화'라는 일반적인 키워드보다 '발목 지지력이 좋은 런닝화'와 같은 롱테일 키워드는 더 구체적이고 구매 의도가 높습니다. AI는 롱테일 키워드를 찾아내고, 이를 콘텐츠에 효과적으로 포함시키는 방법을 제안할 수 있습니다. 롱테일 키워드를 활용하면, 특정 니즈를 가진 사용자에게 더 정확하게 도달할 수 있으며, 검색엔진에서의 경쟁을 피할 수 있습니다.

세 번째로, 경쟁 분석은 효과적인 키워드 전략 수립에 필수적입니다. AI 도구는 경쟁 사이트의 키워드 전략을 분석하고, 어떤 키워드가 성공적인지 파악할 수 있습니다. 예를 들어, 경쟁 사이트가 어떤 키워드를 사용하여 상위 노출을 달성하고 있는지 분석하여, 이를 바탕으로 자신만의 키워드 전략을 개발할 수 있습니다. 또한, AI는 경쟁 사이트의 키워드 성과를 실시간으로 모니터링하고, 변화에 맞춰 전략을 조정할 수 있습니다. 경쟁 분석을 통해 시장에서의 위치를 파악하고, 효과적인 키워드 전략을 수립하는 것이 중요합니다.

네 번째로, 키워드의 시즈널리티를 고려해야 합니다. 특정 키워드는 특정 시기에 검색량이 급증하는 경향이 있습니다. 예를 들어, '크리스마스 선물'이라는 키워드는 연말에 검색량이 급증합니다. AI 도구는 이러한 시즈널리티를 분석하여, 적절한 시기에 적절한 키워드를 사용할 수 있도록 도와줍니다. 이를 통해 트래픽을 극대화하고, 특정 시기에 맞춰 마케팅 캠페인을 효과적으로 계획할 수 있습니다. 시즈널리티를 고려한 키워드 전략은 시즌별 마케팅에서 큰 효과를 발휘할 수 있습니다.

마지막으로, 키워드 성과를 지속적으로 모니터링하고 최적화하는 것이 중요합니다. AI 도구는 키워드 성과를 실시간으로 분석하고, 변화에 맞춰 전략을 조정할 수 있습니다. 예를 들어, 특정 키워드의 검색량이 감소하거나 경쟁이 증가하면, 이를 감지하고 다른 키워드로 전환할 수 있는 방법을 제안합니다. 또한, 새로운 트렌드나 변화에 맞춰 새로운 키워드를 발굴할 수 있습니다. 지속적인 모니터링과 최적화는 키워드 전략의 성과를 극대화하고, 장기적으로 검색엔진에서 상위 노출을 유지하는 데 중요합니다.

AI를 활용한 콘텐츠 최적화

AI는 콘텐츠 최적화에서 강력한 도구로 사용됩니다. 첫 번째로, AI는 콘텐츠의 가독성을 높이는 데 큰 도움을 줄 수 있습니다. AI 도구는 텍스트의 복잡성을 분석하고, 더 간결하고 명확한 표현을 제안합니다. 예를 들어, 긴 문장을 짧게 나누고, 복잡한 용어를 쉽게 설명할 수 있는 단어로 바꾸는 작업을 자동으로 수행합니다. 이를 통해 독자가 콘텐츠를 더 쉽게 이해할 수 있으며, 사용자 경험을 개선할 수 있습니다. 가독성이 높은 콘텐츠는 더 많은 독자 참여를 유도하며, SEO 성과를 극대화할 수 있습니다.

두 번째로, AI는 콘텐츠의 구조를 최적화하는 데 도움을 줍니다. 잘 구성된 콘텐츠는 독자가 필요한 정보를 빠르게 찾을 수 있도록 돕습니다. AI는 제목, 부제목, 리스트, 표 등을 사용하여 콘텐츠를 체계적으로 구성하는 방법을 제안합니다. 예를 들어, AI는 중요한 정보를 강조하고, 논리적인 흐름을 유지하면서 콘텐츠를 재구성할 수 있습니다. 이는 특히 긴 글이나 복잡한 주제를 다룰 때 유용합니다. 잘 구조화된 콘텐츠는 독자의 관심을 유지하고, 검색엔진의 평가를 높이는 데 기여합니다.

세 번째로, AI는 메타 태그와 키워드 삽입을 최적화할 수 있습니다. 메타 태그와 키워드는 검색엔진이 콘텐츠를 이해하고 인덱싱하는 데 중요한 역할을 합니다. AI는 가장 효과적인 메타 태그와 키워드를 분석하고, 이를 콘텐츠에 적절하게 삽입하는 방법을 제안합니다. 예를 들어, AI는 검색 트렌드를 분석하여 가장 효과적인 키워드를 찾아내고, 이를 자연스럽게 포함하는 방법을 제시합니다. 이를 통해 콘텐츠가 검색엔진에서 더 높은 순위를 차지할 수 있으며, 더 많은 트래픽을 유도할 수 있습니다.

네 번째로, AI는 콘텐츠의 연관성과 일관성을 유지하는 데 도움을 줍니다. AI는 전체 콘텐츠의 주제를 분석하고, 각 부분이 일관되게 연결되도록 합니다. 예를 들어, AI는 특정 주제에 대한 추가 정보를 제공하거나, 관련 있는 다른 콘텐츠를 추천할 수 있습니다. 또한, AI는 글의 톤과 스타일을 분석하여 일관되게 유지하도록 도와줍니다. 이러한 일관성은 독자에게 더 나은 읽기 경험을 제공하며, 검색엔진의 평가를 높이는 데 기여합니다. 연관성과 일관성이 높은 콘텐츠는 더 신뢰할 수 있는 정보로 인식됩니다.

마지막으로, AI는 콘텐츠의 시각적 요소를 최적화하는 데 중요한 역할을 합니다. 시각적 요소는 독자의 관심을 끌고, 복잡한 정보를 더 쉽게 이해할 수 있도록 돕습니다. AI는 이미지를 선택하고, 인포그래픽을 생성하며, 동영상을 삽입하는 등의 작업을 자동으로 수행할 수 있습니다. 예를 들어, AI는 특정 주제에 적합한 이미지를 추천하고, 이를 적절한 위치에 삽입하는 방법을 제안합니다. 또한, AI는 이미지의 ALT 태그를 자동으로 생성하여 SEO 성과를 개선할 수 있습니다. 시각적 요소가 잘 구성된 콘텐츠는 독자의 참여를 높이고, 검색엔진에서의 평가를 극대화할 수 있습니다.

마케팅의 새로운 패러다임

콘텐츠 마케팅과 AI

콘텐츠 마케팅에서 AI는 새로운 패러다임을 제시합니다. 첫 번째로, AI는 개인화된 콘텐츠를 생성하는 데 큰 도움을 줍니다. 개인화된 콘텐츠는 독자의 관심과 참여를 높이는 데 매우 효과적입니다. 예를 들어, AI는 사용자의 행동 데이터를 분석하여, 각 사용자에게 맞춤형 콘텐츠를 제공할 수 있습니다. 이는 이메일 마케팅, 웹사이트 콘텐츠, 소셜 미디어 포스트 등 다양한 형태의 마케팅에서 유용하게 활용됩니다. 개인화된 콘텐츠는 독자와의 깊은 연결을 형성하고, 더 높은 전환율을 달성하는 데 기여합니다.

두 번째로, AI는 콘텐츠 마케팅 전략을 최적화하는 데 중요한 역할을 합니다. AI는 방대한 데이터를 실시간으로 분석하여, 가장 효과적인 마케팅 전략을 도출할 수 있습니다. 예를 들어, AI는 경쟁사의 마케팅 활동을 모니터링하고, 성공적인 전략을 분석하여 자사의 마케팅에 적용할 수 있는 방법을 제안합니다. 또한, AI는 시장 트렌드와 소비자 행동 변화를 감지하여, 마케팅 전략을 지속적으로 조정할 수 있습니다. 이를 통해 마케팅 캠페인의 효율성과 효과를 극대화할 수 있습니다.

세 번째로, AI는 콘텐츠의 제작 과정을 자동화하여 효율성을 높입니다. 예를 들어, AI는 블로그 포스트, 기사, 소셜 미디어 콘텐츠 등을 자동으로 생성하고, 필요한 수정 작업을 제안할 수 있습니다. 이는 마케팅 팀이 더 중요한 전략적 작업에 집중할 수 있도록 돕습니다. 또한, AI는 콘텐츠의 품질을 분석하고, 개선할 수 있는 방법을 제안합니다. 이러한 자동화는 콘텐츠 마케팅의 속도와 효율성을 크게 향상시킬 수 있습니다. 실제 사례로, AI를 활용한 자동화된 콘텐츠 생성이 기업의 마케팅 성과를 극대화한 예가 많이 있습니다.

네 번째로, AI는 고객과의 상호작용을 강화하는 데 유용합니다. AI 기반 챗봇은 고객의 질문에 실시간으로 답변하고, 개인화된 서비스를 제공할 수 있습니다. 예를 들어, AI 챗봇은 고객의 구매 기록을 분석하여, 맞춤형 제품 추천을 제공하거나, 문제 해결을 지원할 수 있습니다. 이러한 상호작용은 고객 만족도를 높이고, 브랜드 충성도를 강화하는 데 기여합니다. AI 챗봇은 특히 고객 서비스와 판매 지원에서 중요한 역할을 할 수 있습니다. 이를 통해 고객과의 관계를 강화하고, 마케팅 성과를 향상시킬 수 있습니다.

마지막으로, AI는 마케팅 성과를 분석하고, ROI(Return on Investment)를 극대화하는 데 도움을 줍니다. AI는 마케팅 캠페인의 데이터를 실시간으로 분석하여, 각 활동의 성과를 평가하고, 개선할 수 있는 방법을 제안합니다. 예를 들어, AI는 특정 캠페인의 클릭률, 전환율, 매출 등을 분석하여, 효과적인 전략을 지속하고, 비효율적인 전략을 수정할 수 있습니다. 이를 통해 마케팅 예산을 효율적으로 사용하고, ROI를 극대화할 수 있습니다. AI 기반의 성과 분석은 마케팅 활동의 투명성과 효율성을 높이는 데 중요한 역할을 합니다.

AI 기반의 마케팅 도구들

AI 기반의 마케팅 도구는 다양한 기능을 제공하며, 마케팅 활동의 효율성과 효과를 크게 향상시킵니다. 첫 번째로, AI 기반의 콘텐츠 생성 도구는 블로그 포스트, 기사, 소셜 미디어 콘텐츠 등을 자동으로 작성하는 데 유용합니다. 예를 들어, Jasper AI와 같은 도구는 사용자의 입력을 바탕으로 일관된 콘텐츠를 생성할 수 있습니다. 이러한 도구는 콘텐츠 작성 시간을 단축시키고, 품질을 유지하는 데 큰 도움을 줍니다. AI 콘텐츠 생성 도구는 특히 대량의 콘텐츠를 신속하게 생산해야 하는 마케팅 팀에게 매우 유용합니다.

두 번째로, AI 기반의 SEO 도구는 검색엔진 최적화를 통해 웹사이트의 트래픽을 증가시키는 데 효과적입니다. 예를 들어, SEMrush와 같은 도구는 키워드 분석, 경쟁 분석, 백링크 구축 등을 지원합니다. AI는 검색 트렌드를 실시간으로 분석하고, 가장 효과적인 키워드를 추천하며, SEO 성과를 극대화할 수 있는 전략을 제안합니다. 이러한 도구는 웹사이트의 검색엔진 순위를 높이고, 더 많은 방문자를 유도하는 데 중요한 역할을 합니다. AI 기반 SEO 도구는 마케팅 팀이 효율적으로 작업할 수 있도록 도와줍니다.

세 번째로, AI 기반의 이메일 마케팅 도구는 개인화된 이메일 캠페인을 자동화하는 데 유용합니다. 예를 들어, Mailchimp와 같은 도구는 사용자의 행동 데이터를 분석하여, 맞춤형 이메일 콘텐츠를 생성하고, 자동으로 발송할 수 있습니다. AI는 각 사용자의 선호도와 행동 패턴을 파악하여, 최적의 발송 시간을 추천하고, 이메일의 열람률과 클릭률을 극대화할 수 있는 전략을 제안합니다. 이를 통해 이메일 마케팅의 효율성을 높이고, 더 높은 전환율을 달성할 수 있습니다. AI 기반 이메일 마케팅 도구는 개인화된 고객 경험을 제공하는 데 중요한 역할을 합니다.

네 번째로, AI 기반의 광고 캠페인 관리 도구는 광고 효율성을 극대화하는 데 도움을 줍니다. 예를 들어, Google Ads의 AI 도구는 광고 성과를 실시간으로 분석하고, 예산을 최적화하여 최고의 ROI를 달성할 수 있는 방법을 제안합니다. AI는 광고의 타겟팅, 입찰 전략, 광고 카피 등을 최적화하여, 더 많은 클릭과 전환을 유도할 수 있습니다. 또한, AI는 경쟁사의 광고 전략을 분석하고, 이를 바탕으로 더 효과적인 광고 캠페인을 설계할 수 있습니다. 이러한 도구는 광고 예산을 효율적으로 사용하고, 최대의 마케팅 성과를 달성하는 데 필수적입니다.

마지막으로, AI 기반의 고객 관계 관리(CRM) 도구는 고객 데이터를 효과적으로 관리하고 분석하는 데 유용합니다. 예를 들어, Salesforce의 AI 도구는 고객의 구매 기록, 상호작용 이력 등을 분석하여, 개인화된 마케팅 전략을 제안합니다. AI는 고객의 행동 패턴을 파악하고, 고객 만족도를 높일 수 있는 방법을 제시합니다. 이를 통해 고객과의 관계를 강화하고, 장기적인 고객 충성도를 높일 수 있습니다. AI 기반 CRM 도구는 마케팅 팀이 고객 데이터를 효율적으로 관리하고, 더 나은 고객 경험을 제공하는 데 중요한 역할을 합니다.

사례 분석과 적용법

AI 기반 마케팅 도구의 성공적인 사례는 다양합니다. 첫 번째로, IBM Watson은 마케팅 캠페인에서 큰 성과를 거둔 예가 있습니다. IBM Watson은 방대한 데이터를 분석하여, 소비자 행동을 예측하고, 맞춤형 마케팅 전략을 제안했습니다. 예를 들어, Watson은 한 패션 브랜드의 마케팅 캠페인에서 소비자의 쇼핑 패턴을 분석하고, 개인화된 제품 추천을 제공하여 매출을 크게 증가시켰습니다. 이 사례는 AI가 어떻게 소비자 행동을 이해하고, 마케팅 전략을 최적화할 수 있는지를 보여줍니다.

두 번째로, Netflix의 추천 시스템은 AI를 활용한 개인화된 콘텐츠 추천의 대표적인 사례입니다. Netflix는 사용자 데이터를 분석하여, 각 사용자에게 맞춤형 콘텐츠를 추천합니다. AI는 사용자의 시청 이력, 선호도, 시청 패턴 등을 종합적으로 분석하여, 개인화된 추천 목록을 생성합니다. 이러한 추천 시스템은 사용자 참여를 높이고, 구독자 유지를 강화하는 데 큰 역할을 했습니다. Netflix의 사례는 AI가 어떻게 개인화된 마케팅을 통해 소비자 만족도를 높일 수 있는지를 잘 보여줍니다.

세 번째로, Spotify의 Discover Weekly는 AI를 활용한 음악 추천 서비스로 큰 성공을 거두었습니다. Spotify는 AI를 통해 사용자의 음악 청취 패턴을 분석하고, 개인화된 플레이리스트를 매주 제공했습니다. 이 서비스는 사용자가 새로운 음악을 발견하고, 플랫폼에 더 오래 머무르게 하는 데 큰 역할을 했습니다. Discover Weekly는 사용자들에게 매우 인기가 있었으며, Spotify의 사용자 참여를 크게 향상시켰습니다. 이 사례는 AI가 어떻게 개인화된 콘텐츠 제공을 통해 사용자 경험을 개선할 수 있는지를 보여줍니다.

네 번째로, H&M은 AI를 활용하여 재고 관리와 마케팅을 최적화했습니다. H&M은 AI를 통해 소비자 데이터를 분석하고, 각 매장의 재고를 최적화하여 판매 효율성을 높였습니다. 또한, AI는 마케팅 캠페인에서 소비자의 쇼핑 패턴을 분석하여, 맞춤형 프로모션을 제공했습니다. 예를 들어, 특정 제품이 잘 팔리는 지역에서는 해당 제품의 프로모션을 강화하고, 재고를 최적화하여 매출을 증가시켰습니다. H&M의 사례는 AI가 어떻게 마케팅과 운영 효율성을 동시에 향상시킬 수 있는지를 잘 보여줍니다.

마지막으로, Sephora는 AI를 활용하여 개인화된 뷰티 추천 서비스를 제공했습니다. Sephora의 AI 기반 가상 메이크업 도구는 사용자의 얼굴을 분석하여, 맞춤형 메이크업 제품을 추천했습니다. 이 서비스는 소비자들이 온라인에서도 자신에게 맞는 제품을 쉽게 찾을 수 있도록 도와주었으며, 소비자 만족도를 크게 높였습니다. 또한, AI는 소비자의 구매 이력을 분석하여, 개인화된 마케팅 이메일을 발송하고, 재방문을 유도했습니다. Sephora의 사례는 AI가 어떻게 소비자 경험을 개인화하고, 마케팅 성과를 극대화할 수 있는지를 잘 보여줍니다.

AI 도구를 활용하여

글쓰기의 효율성을 높이고

창작의 즐거움을 극대화하세요.

새로운 시대의

글쓰기를 경험해보세요.

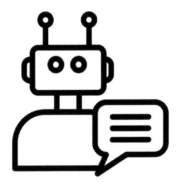

제 3 장

창의성과
AI의 만남

창의성은 새로운 아이디어 생성과 문제 해결에 중요하며,
AI는 글쓰기 과정에서 창의성을 증진시키고, 브레인스토밍에서
아이디어 평가와 협업을 돕습니다.

창의적 글쓰기의 비밀

창의성의 정의와 중요성

창의성은 새로운 아이디어를 생성하고, 문제를 독창적으로 해결하는 능력입니다. 창의성은 단순한 상상력을 넘어, 기존의 지식과 경험을 바탕으로 새로운 관점을 도출하는 능력입니다. 예를 들어, 한 예술가는 기존의 예술 기법을 결합하여 전혀 새로운 예술 작품을 창조할 수 있습니다. 이는 단순히 새로운 것을 만드는 것이 아니라, 기존의 것을 새로운 방식으로 바라보고 조합하는 능력입니다. 창의성은 모든 분야에서 중요한 역할을 하며, 특히 글쓰기에서 독창적이고 흥미로운 내용을 창조하는 데 필수적입니다.

창의성의 중요성은 글쓰기에서 더욱 두드러집니다. 창의적인 글쓰기는 독자의 관심을 끌고, 감정적 연결을 형성하며, 깊은 인상을 남길 수 있습니다. 예를 들어, 창의적인 스토리텔링은 독자에게 단순한 정보를 전달하는 것을 넘어, 감동과 공감을 이끌어낼 수 있습니다. 이는 특히 소설, 에세이, 광고 등에서 중요한 요소입니다. 창의성은 글의 독창성을 높이고, 독자가 글을 더 잘 기억하고, 더 많은 가치를 느끼게 합니다. 따라서, 창의적인 글쓰기는 성공적인 글쓰기를 위한 핵심 요소입니다.

창의성은 또한 문제 해결 능력을 강화합니다. 창의적인 사고는 기존의 틀을 벗어나 새로운 해결책을 찾는 데 도움을 줍니다. 예를 들어, 글쓰기 과정에서 발생하는 어려움을 창의적인 접근을 통해 해결할 수 있습니다. 이는 복잡한 주제를 이해하기 쉽게 설명하거나,

독특한 시각적 요소를 결합하여 독자의 이해를 돕는 방식으로 나타날 수 있습니다. 창의성은 글쓰기의 다양한 도전 과제를 극복하고, 더 나은 결과를 도출하는 데 중요한 역할을 합니다. 이는 특히 학술적 글쓰기나 기술적 문서 작성에서 중요한 능력입니다.

창의성은 또한 지속적인 학습과 성장을 촉진합니다. 창의적인 사고는 새로운 지식과 경험을 적극적으로 탐구하고, 이를 바탕으로 새로운 아이디어를 도출하는 과정에서 발전합니다. 예를 들어, 창의적인 작가는 다양한 분야의 책을 읽고, 새로운 경험을 통해 영감을 얻으며, 이를 글쓰기에 반영합니다. 이러한 지속적인 학습과 성장은 글쓰기 능력을 지속적으로 향상시키고, 더 나은 작품을 창조하는 데 기여합니다. 창의성은 끊임없이 새로운 것을 추구하고, 발전하는 과정에서 중요한 역할을 합니다.

마지막으로, 창의성은 개인의 만족과 성취감을 높입니다. 창의적인 글쓰기는 단순히 결과물의 품질을 높이는 것뿐만 아니라, 글쓰는 과정 자체에서 큰 만족을 제공합니다. 예를 들어, 창의적인 아이디어가 떠오르고, 이를 글로 표현하는 과정에서 느끼는 성취감은 매우 큽니다. 이러한 만족과 성취감은 글쓰기를 지속할 수 있는 동기부여가 되며, 더 나은 결과를 도출하는 데 기여합니다. 창의성은 글쓰기를 더욱 즐겁고 의미 있는 활동으로 만들어줍니다.

AI와 창의성의 관계

AI와 창의성의 관계는 매우 흥미롭고 복잡합니다. AI는 방대한 데이터를 분석하고 패턴을 인식하여 새로운 아이디어를 도출하는 데 도움을 줄 수 있습니다. 예를 들어, AI는 기존의 문학 작품을 분석하여 새로운 이야기 구조를 제안하거나, 다양한 창의적 기법을 조합하여 독창적인 글을 생성할 수 있습니다. 이러한 기능은 작가가 창의적인 작업을 보다 효율적으로 수행할 수 있도록 돕습니다. AI는 단순한 도구를 넘어, 창의적 과정에서 중요한 협력자로 작용할 수 있습니다.

AI는 창의성을 증진시키는 다양한 방식으로 활용될 수 있습니다. 첫 번째로, AI는 반복적인 작업을 자동화하여 작가가 더 창의적인 작업에 집중할 수 있도록 돕습니다. 예를 들어, AI는 자료 조사, 초안 작성, 문법 교정 등의 작업을 자동으로 수행할 수 있습니다. 이를 통해 작가는 아이디어 생성과 창의적 표현에 더 많은 시간을 할애할 수 있습니다. AI의 이러한 기능은 창의적 과정의 효율성을 높이고, 더 나은 결과를 도출하는 데 중요한 역할을 합니다.

두 번째로, AI는 새로운 아이디어를 제공하고, 창의적 과정을 촉진할 수 있습니다. AI는 방대한 데이터를 분석하여 다양한 아이디어를 제안할 수 있습니다. 예를 들어, AI는 특정 주제에 대한 최신 트렌드와 관련 정보를 제공하고, 이를 바탕으로 새로운 글의 주제를 제안할 수 있습니다. 또한, AI는 다양한 창의적 기법을 학습하여 작가에게 새로운 표현 방식을 제안할 수 있습니다. 이러한 기능은 작가가 새로운 아이디어를 탐색하고, 창의적 글쓰기를 발전시키는 데 큰 도움이 됩니다.

세 번째로, AI는 창의적 작업의 피드백을 제공하여 글의 품질을 향상시킬 수 있습니다. AI는 작성된 글을 분석하고, 개선할 수 있는 방법을 제안할 수 있습니다. 예를 들어, AI는 글의 구조와 논리적 일관성을 검토하고, 더 나은 표현 방식을 제안할 수 있습니다. 또한, AI는 독자의 반응을 분석하여 글의 효과를 평가하고, 필요한 수정 사항을 제안할 수 있습니다. 이러한 피드백은 작가가 자신의 글을 지속적으로 개선하고, 더 높은 품질의 글을 작성하는 데 중요한 역할을 합니다.

마지막으로, AI는 창의적 과정에서 인간의 한계를 보완할 수 있습니다. AI는 방대한 데이터를 빠르게 분석하고, 복잡한 문제를 해결하는 데 뛰어난 능력을 가지고 있습니다. 예를 들어, AI는 다양한 주제를 동시에 다루거나, 복잡한 데이터를 시각화하여 이해하기 쉽게 만드는 작업을 수행할 수 있습니다. 이러한 기능은 작가가 더 넓은 범위의 주제를 다루고, 복잡한 아이디어를 효과적으로 전달하는 데 도움이 됩니다. AI는 창의적 작업에서 인간의 한계를 보완하고, 새로운 가능성을 열어줍니다.

창의적 글쓰기 훈련법

창의적 글쓰기 훈련법은 다양한 기법과 연습을 통해 창의성을 개발하고 향상시키는 과정입니다. 첫 번째로, 자유 연상법은 창의적 글쓰기 훈련에 매우 유용합니다. 자유 연상법은 주제나 키워드를 중심으로 연상되는 단어와 아이디어를 자유롭게 떠올리는 방식입니다. 예를 들어, '여름'이라는 단어를 중심으로 연상되는 단어와 이미지를 빠르게 떠올리고, 이를 글로 표현하는 연습을 합니다. 이러한 연습은 생각의 경계를 허물고, 새로운 아이디어를 자유롭게 탐색하는 데 도움이 됩니다. 자유 연상법은 창의적 사고를 촉진하고, 글쓰기의 폭을 넓히는 데 중요한 역할을 합니다.

두 번째로, 일기 쓰기는 창의적 글쓰기 훈련의 중요한 도구입니다. 일기는 개인의 경험과 감정을 자유롭게 표현할 수 있는 공간입니다. 매일 일기를 쓰면서 자신의 생각과 감정을 기록하고, 이를 바탕으로 새로운 아이디어를 도출할 수 있습니다. 예를 들어, 하루 동안 경험한 사건이나 느낀 감정을 자세히 기록하고, 이를 이야기나 시로 발전시키는 연습을 합니다. 일기 쓰기는 글쓰기의 자유로움을 느끼게 하고, 자신의 목소리를 찾는 데 중요한 역할을 합니다. 또한, 일기 쓰기는 꾸준한 글쓰기 습관을 형성하는 데 도움이 됩니다.

세 번째로, 다른 작품을 분석하고 모방하는 연습은 창의적 글쓰기 훈련에 매우 효과적입니다. 우수한 문학 작품이나 글을 분석하고, 그 작가의 기법과 스타일을 이해하며, 이를 바탕으로 자신만의 글을 작성해 봅니다. 예를 들어, 좋아하는 작가의 작품을 읽고, 그 작품의 특정 장면이나 대화를 모방하여 새로운 이야기를 작성해 봅니다. 이러한 연습은 다양한 글쓰기 기법을 배우고, 자신의 스타일을 발전시키는 데 큰 도움이 됩니다. 모방을 통해 배우고, 이를 자신의 창의적 작업에 적용하는 과정에서 글쓰기 능력이 향상됩니다.

네 번째로, 제한된 조건에서 글을 쓰는 연습도 창의적 글쓰기 훈련에 유용합니다. 특정한 주제나 조건을 설정하고, 그 안에서 창의적으로 글을 작성하는 연습을 합니다. 예를 들어, '10개의 단어만 사용하여 이야기를 작성하기', '특정한 장소를 배경으로 한 단편 소설 쓰기' 등의 조건을 설정하여 글을 작성합니다. 이러한 제한된 조건은 생각의 틀을 벗어나 새로운 아이디어를 탐색하게 하며, 창의성을 자극합니다. 제한된 조건에서 글을 쓰는 연습은 문제 해결 능력을 향상시키고, 글쓰기의 유연성을 높이는 데 도움이 됩니다.

마지막으로, 피드백을 받는 것은 창의적 글쓰기 훈련에서 매우 중요합니다. 작성한 글을 다른 사람에게 보여주고, 피드백을 받아 수정하고 개선하는 과정을 반복합니다. 피드백은 자신의 글을 객관적으로 평가하고, 개선할 수 있는 기회를 제공합니다. 예를 들어, 글쓰기 그룹이나 온라인 커뮤니티에 참여하여 다른 사람의 피드백을 받고, 이를 바탕으로 글을 수정해 봅니다. 피드백을 통해 자신의 강점과 약점을 파악하고, 글쓰기 능력을 지속적으로 발전시킬 수 있습니다. 피드백은 창의적 글쓰기 훈련에서 중요한 역할을 하며, 더 나은 결과를 도출하는 데 기여합니다.

새로운 아이디어 생성

브레인스토밍과 AI

브레인스토밍은 새로운 아이디어를 생성하는 데 매우 효과적인 방법입니다. 브레인스토밍은 자유로운 사고와 아이디어의 나열을 통해 창의성을 자극합니다. 예를 들어, 특정 주제에 대해 팀원들이 자유롭게 아이디어를 제시하고, 이를 바탕으로 새로운 관점을 도출하는 방식입니다. 이러한 과정은 기존의 사고방식을 탈피하고, 창의적인 해결책을 찾는 데 도움이 됩니다. 브레인스토밍은 팀원들 간의 협력을 촉진하고, 다양한 관점을 통해 풍부한 아이디어를 생성할 수 있는 환경을 제공합니다.

AI는 브레인스토밍 과정을 크게 혁신할 수 있습니다. AI는 방대한 데이터를 분석하여 다양한 아이디어를 제공할 수 있습니다. 예를 들어, AI는 인터넷상의 최신 트렌드와 관련된 정보를 분석하여,

브레인스토밍 세션에서 사용할 수 있는 새로운 아이디어를 제안할 수 있습니다. 또한, AI는 기존의 아이디어를 조합하여 새로운 관점을 제시하거나, 다양한 시나리오를 시뮬레이션하여 잠재적인 결과를 예측할 수 있습니다. 이러한 기능은 브레인스토밍 과정에서 창의성을 증진시키고, 더 풍부한 아이디어를 도출하는 데 큰 도움이 됩니다.

브레인스토밍에서 AI의 또 다른 중요한 역할은 아이디어의 평가와 정제입니다. 브레인스토밍 과정에서는 많은 아이디어가 생성되지만, 그 중에서 가장 유망한 아이디어를 선택하고 발전시키는 과정이 필요합니다. AI는 생성된 아이디어를 분석하고, 그 중에서 가장 가능성이 높은 아이디어를 추천할 수 있습니다. 예를 들어, AI는 아이디어의 실현 가능성, 시장 잠재력, 혁신성을 평가하여, 팀이 집중해야 할 주요 아이디어를 도출할 수 있습니다. 이러한 기능은 브레인스토밍 과정의 효율성을 높이고, 더 나은 결과를 도출하는 데 기여합니다.

AI는 브레인스토밍 과정에서 협업을 촉진하는 도구로도 활용될 수 있습니다. 예를 들어, AI 기반 협업 플랫폼은 팀원들이 실시간으로 아이디어를 공유하고, 서로의 아이디어에 피드백을 제공할 수 있는 환경을 제공합니다. 이러한 플랫폼은 팀원 간의 소통을 촉진하고, 다양한 관점을 통합하여 더 창의적인 아이디어를 도출할 수 있도록 도와줍니다. 또한, AI는 팀의 작업 과정을 모니터링하고, 필요할 때 적절한 지원을 제공할 수 있습니다. 이를 통해 브레인스토밍 과정이 더 효율적이고 효과적으로 이루어질 수 있습니다.

마지막으로, AI는 브레인스토밍의 지속 가능성을 높이는 데 중요한 역할을 합니다. 브레인스토밍은 일회성 활동이 아니라, 지속적으로 발전하고 개선되어야 하는 과정입니다. AI는 브레인스토밍의 결과를 기록하고 분석하여, 향후 세션에서 참고할 수 있는 데이터를 제공합니다. 예를 들어, AI는 이전 브레인스토밍 세션에서 도출된 아이디어와 그 결과를 분석하고, 이를 바탕으로 새로운 아이디어를 제안할 수 있습니다. 이러한 기능은 브레인스토밍의 지속적인 발전을 지원하고, 더 나은 결과를 도출하는 데 기여합니다.

아이디어 발굴 도구들

아이디어 발굴 도구는 창의적 사고를 촉진하고 새로운 아이디어를 생성하는 데 중요한 역할을 합니다. 첫 번째로, 마인드맵핑 도구는 아이디어를 시각적으로 조직화하는 데 유용합니다. 마인드맵핑은 중심 주제를 중심으로 관련 아이디어를 가지처럼 확장해 나가는 방식입니다. 예를 들어, MindMeister와 같은 도구를 사용하면, 주제를 중심으로 다양한 연관 아이디어를 시각적으로 정리할 수 있습니다. 이러한 도구는 복잡한 아이디어를 체계적으로 정리하고, 새로운 연결과 관점을 도출하는 데 도움을 줍니다.

두 번째로, 스캠퍼(SCAMMPER) 기법은 아이디어를 변형하고 발전시키는 데 효과적입니다. SCAMPER는 대체(Substitute), 결합(Combine), 적응(Adapt), 변경(Modify), 다른 용도로 사용(Put to another use), 제거(Eliminate), 반전(Reverse)의 약자입니다. 예를 들어, 기존의 제품이나 서비스를 SCAMPER 기법을 사용하여 변형하고 새로운 아이디어를 생성할 수 있습니다. 이 기법은 기존의 아이디어를 새롭게 재해석하고, 혁신적인 해결책을 찾는 데 유용합니다. SCAMPER는 다양한 분야에서 창의적 사고를 촉진하는 도구로 널리 사용됩니다.

세 번째로, 브레인라이팅 도구는 브레인스토밍의 대안으로 활용될 수 있습니다. 브레인라이팅은 팀원들이 동시에 자신의 아이디어를 작성한 후, 다른 팀원들의 아이디어와 결합하거나 발전시키는 방식입니다. 예를 들어, Stormboard와 같은 도구는 팀원들이 동시에 아이디어를 작성하고, 이를 공유하여 새로운 아이디어를 도출할 수 있도록 지원합니다. 브레인라이팅은 팀원 간의 의견 교환을 촉진하고, 다양한 관점을 통합하여 더 창의적인 아이디어를 도출하는 데 효과적입니다.

네 번째로, 온라인 아이디어 플랫폼은 다양한 사람들의 아이디어를 모아 혁신을 촉진하는 데 유용합니다. 예를 들어, IdeaScale과 같은 플랫폼은 전 세계 사용자들이 아이디어를 제출하고, 이를 평가하고 발전시킬 수 있는 환경을 제공합니다. 이러한 플랫폼은 다양한 배경과 경험을 가진 사람들이 참여하여, 더 풍부한 아이디어를 생성할 수 있도록 도와줍니다. 온라인 아이디어 플랫폼은 기업이나 조직이 외부의 창의적인 아이디어를 수집하고, 이를 바탕으로 혁신적인 제품이나 서비스를 개발하는 데 중요한 역할을 합니다.

마지막으로, AI 기반 아이디어 생성 도구는 창의적 사고를 크게 향상시킬 수 있습니다. AI는 방대한 데이터를 분석하여 새로운 아이디어를 제안할 수 있습니다. 예를 들어, ChatGPT와 같은 언어 모델은 사용자의 입력을 바탕으로 다양한 아이디어를 생성할 수 있습니다. 이러한 도구는 기존의 사고방식을 넘어 새로운 관점을 제시하고, 창의적인 해결책을 찾는 데 큰 도움이 됩니다. AI 기반 아이디어 생성 도구는 특히 복잡한 문제를 해결하거나, 새로운 비즈니스 기회를 탐색하는 데 유용합니다.

실습과 적용 예제

아이디어 발굴 도구를 효과적으로 활용하기 위해서는 실제 사례를 통한 실습과 적용이 중요합니다. 첫 번째로, 마인드맵핑 도구를 활용한 사례를 살펴보겠습니다. 한 스타트업이 새로운 제품 아이디어를 개발하기 위해 MindMeister를 사용했습니다. 팀은 '스마트 홈 기술'을 중심 주제로 설정하고, 관련 아이디어를 가지처럼 확장해 나갔습니다. 각 가지는 '보안', '에너지 효율', '편리성' 등 세부 주제로 나누어졌습니다. 이 과정을 통해 팀은 다양한 관점을 통합하고, 새로운 제품 아이디어를 도출할 수 있었습니다. 마인드맵핑 도구는 아이디어를 시각적으로 조직화하고, 새로운 연결을 발견하는 데 큰 도움이 됩니다.

두 번째로, SCAMPER 기법을 활용한 예제를 살펴보겠습니다. 한 전자제품 회사가 기존 제품을 혁신하기 위해 SCAMPER 기법을 사용했습니다. 팀은 기존의 스마트폰을 대상으로 대체, 결합, 적응,

변경, 다른 용도로 사용, 제거, 반전의 각 단계를 통해 아이디어를 발전시켰습니다. 예를 들어, '결합' 단계에서는 스마트폰과 스마트워치를 결합한 새로운 제품 아이디어를 도출했습니다. '변경' 단계에서는 기존의 디자인을 혁신적으로 변경하여 더 나은 사용자 경험을 제공할 수 있는 방안을 찾았습니다. SCAMPER 기법은 기존의 아이디어를 새롭게 재해석하고, 혁신적인 해결책을 찾는 데 유용합니다.

세 번째로, 브레인라이팅 도구를 활용한 사례를 살펴보겠습니다. 한 광고 에이전시가 새로운 광고 캠페인을 개발하기 위해 Stormboard를 사용했습니다. 팀원들은 동시에 자신의 아이디어를 작성한 후, 다른 팀원들의 아이디어와 결합하거나 발전시켰습니다. 이 과정에서 팀원들은 서로의 관점을 이해하고, 다양한 아이디어를 통합하여 혁신적인 광고 캠페인을 개발할 수 있었습니다. 브레인라이팅 도구는 팀원 간의 의견 교환을 촉진하고, 다양한 관점을 통합하여 더 창의적인 아이디어를 도출하는 데 효과적입니다.

네 번째로, 온라인 아이디어 플랫폼을 활용한 예제를 살펴 보겠습니다. 한 글로벌 기업이 새로운 제품 아이디어를 수집하기 위해 IdeaScale을 사용했습니다. 전 세계 사용자들이 플랫폼에 아이디어를 제출하고, 이를 평가하고 발전시켰습니다. 이를 통해 기업은 다양한 배경과 경험을 가진 사람들의 창의적인 아이디어를 수집할 수 있었습니다. 최종적으로, 가장 유망한 아이디어를 선정하여 새로운 제품을 개발할 수 있었습니다. 온라인 아이디어 플랫폼은 다양한 사람들의 아이디어를 모아 혁신을 촉진하는 데 중요한 역할을 합니다.

마지막으로, AI 기반 아이디어 생성 도구를 활용한 사례를 살펴보겠습니다. 한 마케팅 팀이 새로운 마케팅 캠페인 아이디어를 찾기 위해 ChatGPT를 사용했습니다. 팀은 ChatGPT에게 특정 주제에 대한 아이디어를 요청하고, 이를 바탕으로 다양한 캠페인 아이디어를 도출했습니다. 예를 들어, ChatGPT는 최신 마케팅 트렌드와 관련된 정보를 제공하고, 이를 바탕으로 새로운 캠페인 전략을 제안했습니다. 이를 통해 팀은 기존의 사고방식을 넘어 새로운 관점을 제시하고, 창의적인 마케팅 캠페인을 개발할 수 있었습니다. AI 기반 아이디어 생성 도구는 창의적 사고를 크게 향상시킬 수 있습니다.

예술적 접근과 AI

AI와 문학

AI는 문학 창작의 새로운 가능성을 열어줍니다. 첫 번째로, AI는 방대한 문학 데이터를 분석하여 새로운 이야기를 창작할 수 있습니다. 예를 들어, GPT-4와 같은 언어 모델은 기존의 문학 작품을 학습하고, 이를 바탕으로 새로운 이야기를 생성할 수 있습니다. 이러한 AI는 작가에게 영감을 주고, 새로운 이야기 구조와 플롯을 제안하는 데 유용합니다. 실제로, AI가 작성한 소설이 문학적 가치를 인정받고 출판된 사례도 있습니다. AI는 문학 창작의 초기 단계에서 중요한 도구로 활용될 수 있습니다.

두 번째로, AI는 문학 작품의 스타일과 톤을 분석하여 작가가 일관된 글쓰기를 유지하도록 돕습니다. AI는 텍스트의 스타일, 문체, 어휘를 분석하고, 작가가 특정 스타일을 유지하면서 글을 작성할 수 있도록 지원합니다. 예를 들어, AI는 작가가 고전 문학 스타일을 모방하거나, 특정 작가의 문체를 학습하여 유사한 글을 작성할 수 있도록 도와줍니다. 이러한 기능은 작가가 일관된 문체를 유지하면서도 다양한 스타일을 시도하는 데 큰 도움이 됩니다. AI는 문학 작품의 품질을 높이는 데 중요한 역할을 합니다.

세 번째로, AI는 문학 작품의 번역에서 중요한 역할을 할 수 있습니다. AI 기반 번역 도구는 텍스트의 의미와 뉘앙스를 정확하게 전달하면서도, 원작의 문학적 가치를 유지할 수 있습니다. 예를 들어, Google Translate와 같은 AI 번역 도구는 다양한 언어의 문학 작품을 신속하게 번역하고, 이를 통해 더 많은 독자에게 문학 작품을 소개할 수 있습니다. AI는 번역 과정에서 문맥을 이해하고, 적절한 표현을 선택하여 원작의 감성과 메시지를 전달하는 데 큰 도움이 됩니다. AI는 글로벌 문학의 교류를 촉진하는 중요한 도구입니다.

네 번째로, AI는 문학 비평과 분석에서 중요한 역할을 할 수 있습니다. AI는 방대한 문학 데이터를 분석하여, 특정 작품의 주제, 상징, 구조 등을 체계적으로 분석할 수 있습니다. 예를 들어, AI는 특정 작가의 작품을 분석하여 반복되는 주제나 스타일을 도출하고, 이를 바탕으로 문학 비평을 작성할 수 있습니다. 또한, AI는 다양한 문학 이론을 적용하여 작품을 해석하고, 새로운 관점을 제시할 수 있습니다. 이러한 기능은 문학 연구자와 비평가에게 큰 도움을 줄 수 있습니다.

마지막으로, AI는 문학 교육에서 중요한 도구로 활용될 수 있습니다. AI 기반 교육 도구는 학생들이 문학 작품을 분석하고, 자신의 글쓰기 능력을 향상시키는 데 큰 도움이 됩니다. 예를 들어, AI는 학생들이 작성한 에세이를 분석하고, 피드백을 제공하여 글을 개선할 수 있도록 돕습니다. 또한, AI는 문학 작품의 주요 요소를 설명하고, 학생들이 작품을 더 깊이 이해할 수 있도록 지원합니다. 이러한 AI 도구는 문학 교육의 질을 높이고, 학생들의 창의적 사고를 촉진하는 데 중요한 역할을 합니다.

예술적 글쓰기와 AI

AI는 예술적 글쓰기에 새로운 도구와 가능성을 제공합니다. 첫 번째로, AI는 예술적 글쓰기의 초기 아이디어를 도출하는 데 유용합니다. AI는 방대한 데이터를 분석하여 다양한 주제와 아이디어를 제안할 수 있습니다. 예를 들어, AI는 최신 트렌드와 관련된 정보를 제공하거나, 기존의 예술 작품에서 영감을 얻어 새로운 아이디어를 제안할 수 있습니다. 이러한 기능은 작가가 새로운 시각과 관점을 탐색하고, 독창적인 아이디어를 도출하는 데 큰 도움이 됩니다. AI는 예술적 글쓰기의 출발점에서 중요한 역할을 할 수 있습니다.

두 번째로, AI는 예술적 글쓰기의 구조와 흐름을 개선하는 데 도움을 줍니다. AI는 텍스트의 구조를 분석하고, 논리적 일관성을 유지하면서도 독창적인 표현을 제안할 수 있습니다. 예를 들어, AI는 이야기를 구성하는 데 필요한 주요 요소를 제안하고, 각 요소가 자연스럽게 연결되도록 돕습니다. 이러한 기능은 작가가 보다 체계적이고 일관된 글을 작성하는 데 큰 도움이 됩니다. AI는 예술적 글쓰기의 품질을 높이고, 독자가 쉽게 이해할 수 있는 글을 작성하는 데 기여합니다.

세 번째로, AI는 예술적 글쓰기의 스타일과 톤을 유지하는 데 유용합니다. AI는 특정 스타일이나 문체를 학습하여, 작가가 일관된 톤을 유지하면서도 다양한 표현을 시도할 수 있도록 지원합니다. 예를 들어, AI는 특정 작가의 문체를 모방하거나, 고유한 스타일을 개발하는 데 도움을 줄 수 있습니다. 이러한 기능은 작가가 자신만의 독창적인 목소리를 찾고, 이를 글에 반영하는 데 큰 도움이 됩니다. AI는 예술적 글쓰기의 일관성과 독창성을 유지하는 데 중요한 역할을 합니다.

네 번째로, AI는 예술적 글쓰기의 감정적 깊이를 더하는 데 기여할 수 있습니다. AI는 텍스트의 감정적 톤을 분석하고, 이를 바탕으로 감정적인 표현을 강화할 수 있는 방법을 제안합니다. 예를 들어, AI는 특정 장면에서 감정적인 반응을 유도하는 표현을 제안하거나, 대화의 감정적 톤을 조정하여 독자의 공감을 이끌어낼 수 있습니다. 이러한 기능은 예술적 글쓰기가 독자에게 더 큰 감동을 주고, 감정적 연결을 형성하는 데 중요한 역할을 합니다. AI는 글의 감정적 깊이를 더하는 데 큰 도움이 됩니다.

마지막으로, AI는 예술적 글쓰기의 반복 작업을 자동화하여 작가의 부담을 줄여줍니다. 예를 들어, AI는 자료 조사, 문법 교정, 텍스트 편집 등의 작업을 자동으로 수행할 수 있습니다. 이를 통해 작가는 창의적인 작업에 더 많은 시간을 할애할 수 있습니다. AI는 또한 작가의 스타일과 선호도를 학습하여, 맞춤형 피드백을 제공하고 글을 개선할 수 있도록 돕습니다. 이러한 기능은 예술적 글쓰기의 효율성을 높이고, 더 높은 품질의 글을 작성하는 데 기여합니다. AI는 예술적 글쓰기에서 중요한 도구로 활용될 수 있습니다.

미래의 예술과 AI의 역할

미래의 예술에서 AI는 점점 더 중요한 역할을 하게 될 것입니다. 첫 번째로, AI는 예술 창작의 도구로서 사용될 것입니다. AI는 방대한 데이터를 분석하고, 새로운 아이디어와 창의적인 표현을 제안할 수 있습니다. 예를 들어, AI는 음악, 미술, 문학 등 다양한 예술 분야에서 창의적인 작품을 생성할 수 있습니다. 이러한 기능은 예술가가 새로운 시도를 하고, 독창적인 작품을 창조하는 데 큰 도움이 됩니다. AI는 예술 창작의 과정에서 중요한 역할을 하며, 새로운 예술적 가능성을 열어줍니다.

두 번째로, AI는 예술 교육의 중요한 도구로 활용될 것입니다. AI는 학생들의 예술적 능력을 평가하고, 개인화된 학습 계획을 제공할 수 있습니다. 예를 들어, AI는 학생들이 작성한 글이나 그림을 분석하고, 개선할 수 있는 방법을 제안할 수 있습니다. 또한, AI는 예술 작품의 주요 요소를 설명하고, 학생들이 작품을 더 깊이 이해할 수 있도록 지원합니다. 이러한 기능은 예술 교육의 질을 높이고, 학생들의 창의적 사고를 촉진하는 데 중요한 역할을 합니다. AI는 예술 교육에서 중요한 도구로 활용될 것입니다.

세 번째로, AI는 예술과 기술의 융합을 촉진할 것입니다. AI는 예술과 기술을 결합하여 새로운 형태의 예술을 창조할 수 있습니다. 예를 들어, AI 기반의 인터랙티브 아트는 관객과 상호작용하며, 새로운 경험을 제공합니다. 이러한 형태의 예술은 관객의 참여를 유도하고, 예술 작품에 대한 새로운 관점을 제공합니다. AI는 예술과 기술의 경계를 허물고, 새로운 예술적 표현을 가능하게 합니다. 이러한 융합은 미래의 예술에서 중요한 역할을 할 것입니다.

네 번째로, AI는 예술의 접근성을 높이는 데 기여할 것입니다. AI 기반의 예술 도구는 더 많은 사람들이 예술을 창작하고 감상할 수 있도록 도와줍니다. 예를 들어, AI는 초보자도 쉽게 사용할 수 있는 예술 창작 도구를 제공하거나, 다양한 언어와 문화적 배경을 고려한 예술 작품을 생성할 수 있습니다. 이러한 기능은 예술의 접근성을 높이고, 더 많은 사람들이 예술을 즐기고 참여할 수 있게 합니다. AI는 예술의 민주화를 촉진하고, 더 다양한 사람들이 예술을 경험할 수 있도록 도와줍니다.

마지막으로, AI는 예술의 미래를 예측하고 발전 방향을 제시하는 데 중요한 역할을 할 것입니다. AI는 방대한 데이터를 분석하여 예술의 트렌드와 변화를 예측할 수 있습니다. 예를 들어, AI는 과거의 예술 작품과 현재의 트렌드를 분석하여, 미래의 예술적 경향을 예측할 수 있습니다. 이러한 예측은 예술가와 연구자에게 중요한 인사이트를 제공하고, 예술의 발전 방향을 제시하는 데 도움이 됩니다. AI는 예술의 미래를 이해하고, 예술이 지속적으로 발전할 수 있도록 지원하는 중요한 도구가 될 것입니다.

제 4 장

돈이 되는
글쓰기 기술

글쓰기를 통해 수익을 창출하는 방법은 프리랜서 글쓰기, 전자책 출판, 블로그 운영, 유료 뉴스레터, 온라인 강의 등 다양하며, 각각의 방법은 광고 수익, 제휴 마케팅, 스폰서십, 구독, 디지털 제품 판매 등의 수익 모델을 적용할 수 있습니다.

글쓰기의 경제학

글쓰기로 돈을 버는 방법

글쓰기로 돈을 버는 방법은 다양합니다. 첫 번째로, 프리랜서 글쓰기입니다. 프리랜서 글쓰기는 블로그 포스트, 기사, 제품 리뷰, 카피라이팅 등 다양한 글을 작성하여 수익을 창출하는 방식입니다. 프리랜서 플랫폼인 Upwork나 Fiverr와 같은 사이트에서 클라이언트를 찾아 프로젝트를 수행할 수 있습니다. 예를 들어, 한 프리랜서 작가는 특정 제품에 대한 리뷰를 작성하고, 이를 통해 수익을 얻는 사례가 있습니다. 프리랜서 글쓰기는 자신의 글쓰기 능력을 다양한 분야에 적용할 수 있는 기회를 제공합니다.

두 번째로, 전자책 출판입니다. 전자책은 글을 작성하여 온라인 플랫폼을 통해 판매하는 방식입니다. Amazon Kindle Direct Publishing(KDP)와 같은 플랫폼을 통해 쉽게 전자책을 출판할 수 있습니다. 예를 들어, 한 작가는 자신의 여행 경험을 담은 전자책을 출판하여 높은 판매 실적을 기록했습니다. 전자책 출판은 초기 비용이 적게 들며, 지속적인 수익 창출이 가능하다는 장점이 있습니다. 전자책 출판은 자신의 전문 지식을 공유하고, 이를 통해 수익을 창출할 수 있는 좋은 방법입니다.

세 번째로, 블로그 운영입니다. 블로그는 자신만의 콘텐츠를 작성하고, 이를 통해 광고 수익을 얻는 방식입니다. Google AdSense와 같은 광고 프로그램을 통해 수익을 창출할 수 있습니다. 예를 들어, 한 블로거는 요리 블로그를 운영하며, 다양한 요리 레시피와 팁을 제공하여 많은 독자를 확보했습니다. 이를 통해 광고 수익과 스폰서십을 통해 상당한 수익을 창출했습니다. 블로그 운영은 자신의 관심사와 전문 지식을 바탕으로 콘텐츠를 제작하고, 이를 통해 지속적인 수익을 얻을 수 있는 방법입니다.

네 번째로, 유료 뉴스레터입니다. 유료 뉴스레터는 독자에게 유익한 정보를 제공하고, 구독료를 받는 방식입니다. Substack과 같은 플랫폼을 통해 유료 뉴스레터를 운영할 수 있습니다. 예를 들어, 한 금융 전문가가 투자 팁과 시장 분석을 제공하는 유료 뉴스레터를 운영하여 많은 구독자를 확보했습니다. 이를 통해 안정적인 수익을 창출하고 있습니다. 유료 뉴스레터는 특정 분야에 대한 깊이 있는 정보를 제공하며, 독자와의 긴밀한 관계를 형성할 수 있는 좋은 방법입니다.

마지막으로, 온라인 강의입니다. 온라인 강의는 특정 주제에 대한 지식을 강의 형태로 제공하고, 수강료를 받는 방식입니다. Udemy와 같은 플랫폼을 통해 쉽게 온라인 강의를 개설할 수 있습니다. 예를 들어, 한 작가가 글쓰기 기법에 대한 온라인 강의를 개설하여 많은 수강생을 확보했습니다. 이를 통해 지속적인 수익을 창출하고 있습니다. 온라인 강의는 자신의 전문 지식을 체계적으로 전달하고, 이를 통해 수익을 창출할 수 있는 좋은 방법입니다.

다양한 수익 모델

글쓰기를 통해 수익을 창출할 수 있는 다양한 모델이 존재합니다. 첫 번째로, 광고 수익 모델입니다. 블로그나 웹사이트에 광고를 게재하고, 클릭당 수익(PPC)이나 노출당 수익(CPM)을 얻는 방식입니다. 예를 들어, Google AdSense는 블로그나 웹사이트에 광고를 삽입하여 수익을 창출할 수 있는 대표적인 플랫폼입니다. 블로거나 웹사이트 운영자는 콘텐츠의 품질과 트래픽을 통해 광고 수익을 극대화할 수 있습니다. 광고 수익 모델은 꾸준한 트래픽이 있을 때 효과적이며, 장기적인 수익 창출이 가능합니다.

두 번째로, 제휴 마케팅 모델입니다. 제휴 마케팅은 특정 제품이나 서비스를 홍보하고, 판매 발생 시 일정 수익을 얻는 방식입니다. Amazon Associates와 같은 프로그램을 통해 제휴 마케팅을 시작할 수 있습니다. 예를 들어, 한 블로거가 전자제품 리뷰를 작성하고, 해당 제품의 구매 링크를 제공하여 수익을 창출하는 사례가 있습니다. 제휴 마케팅 모델은 신뢰성 있는 리뷰와 추천을 통해 독자의 신뢰를 얻고, 이를 통해 수익을 창출할 수 있는 좋은 방법입니다.

세 번째로, 스폰서십 모델입니다. 스폰서십은 특정 브랜드나 기업이 블로거나 인플루언서에게 일정 금액을 지불하고, 콘텐츠를 통해 자사 제품이나 서비스를 홍보하는 방식입니다. 예를 들어, 한 패션 블로거가 특정 의류 브랜드의 스폰서를 받아 해당 브랜드의 제품을 홍보하고 수익을 얻는 사례가 있습니다. 스폰서십 모델은 블로거나 인플루언서가 자신의 브랜드 가치를 높이고, 지속적인 수익을 창출할 수 있는 방법입니다. 신뢰할 수 있는 브랜드와의 협업을 통해 더 큰 수익을 기대할 수 있습니다.

네 번째로, 구독 모델입니다. 구독 모델은 독자가 정기적으로 콘텐츠를 구독하고, 구독료를 지불하는 방식입니다. Substack과 같은 플랫폼을 통해 유료 뉴스레터를 운영할 수 있습니다. 예를 들어, 한 작가가 매주 유익한 정보를 제공하는 유료 뉴스레터를 운영하여 많은 구독자를 확보했습니다. 구독 모델은 독자와의 긴밀한 관계를 형성하고, 안정적인 수익을 창출할 수 있는 방법입니다. 지속적인 콘텐츠 제공과 높은 품질의 정보가 중요한 요소입니다.

마지막으로, 디지털 제품 판매 모델입니다. 전자책, 온라인 강의, 템플릿, 디자인 요소 등 디지털 제품을 판매하여 수익을 창출하는 방식입니다. 예를 들어, 한 그래픽 디자이너가 디자인 템플릿을 판매하여 수익을 얻는 사례가 있습니다. 디지털 제품 판매 모델은 초기 제작 비용이 적게 들며, 지속적인 수익 창출이 가능하다는 장점이 있습니다. 다양한 디지털 제품을 개발하고, 이를 통해 수익을 극대화할 수 있습니다.

실질적인 수익 창출 사례

글쓰기를 통해 실질적으로 수익을 창출한 사례는 매우 다양합니다. 첫 번째 사례로, 유명한 블로거인 팻 플린(Pat Flynn)을 들 수 있습니다. 팻 플린은 자신의 블로그 '스마트 패시브 인컴(Smart Passive Income)'을 통해 다양한 수익 모델을 적용하여 성공을 거두었습니다. 그는 광고, 제휴 마케팅, 스폰서십, 온라인 강의 등을 통해 매월 수만 달러의 수익을 창출하고 있습니다. 팻 플린의 성공 사례는 블로그 운영과 다양한 수익 모델의 결합을 통해 큰 수익을 창출할 수 있음을 보여줍니다.

두 번째 사례로, 전자책 출판을 통한 성공을 들 수 있습니다. 한 독립 작가인 아만다 호킹(Amanda Hocking)은 전자책을 통해 엄청난 성공을 거두었습니다. 그녀는 자신이 직접 쓴 소설을 Amazon Kindle을 통해 출판하고, 이를 통해 수백만 달러의 수익을 올렸습니다. 아만다 호킹의 사례는 전자책 출판이 큰 수익을 창출할 수 있는 잠재력을 가지고 있음을 보여줍니다. 전자책 출판은 초기 비용이 적게 들며, 지속적인 수익 창출이 가능한 좋은 방법입니다.

세 번째 사례로, 유료 뉴스레터를 통한 성공을 들 수 있습니다. 벤 톰슨(Ben Thompson)은 '스트래터지(Strategy)'라는 유료 뉴스레터를 운영하여 많은 구독자를 확보했습니다. 그는 기술 산업과 관련된 깊이 있는 분석과 인사이트를 제공하며, 구독료를 통해 안정적인 수익을 창출하고 있습니다. 벤 톰슨의 성공 사례는 특정 분야에 대한 깊이 있는 정보를 제공하는 유료 뉴스레터가 큰 수익을 창출할 수 있음을 보여줍니다. 유료 뉴스레터는 독자와의 긴밀한 관계를 형성하고, 지속적인 수익을 기대할 수 있는 좋은 방법입니다.

네 번째 사례로, 제휴 마케팅을 통한 성공을 들 수 있습니다. 한 블로거인 미셸 슈로더-가드너(Michelle Schroeder-Gardner)는 '메이킹 센스 오브 센트(Making Sense of Cents)'라는 블로그를 운영하며 제휴 마케팅을 통해 큰 성공을 거두었습니다. 그녀는 금융, 저축, 투자와 관련된 콘텐츠를 제공하고, 제휴 링크를 통해 수익을 창출하고 있습니다. 미셸 슈로더-가드너의 사례는 제휴 마케팅이 블로거에게 큰 수익을 제공할 수 있음을 보여줍니다. 신뢰성 있는 추천과 리뷰가 중요한 요소입니다.

마지막 사례로, 온라인 강의를 통한 성공을 들 수 있습니다. 한 작가이자 강사인 존 맥스웰(John Maxwell)은 리더십과 자기계발에 대한 온라인 강의를 통해 큰 성공을 거두었습니다. 그는 Udemy와 같은 플랫폼을 통해 온라인 강의를 제공하며, 많은 수강생을 확보했습니다. 존 맥스웰의 성공 사례는 온라인 강의가 자신의 전문 지식을 체계적으로 전달하고, 이를 통해 큰 수익을 창출할 수 있는 좋은 방법임을 보여줍니다. 온라인 강의는 초기 투자 비용이 적게 들며, 지속적인 수익 창출이 가능합니다.

전자책 출판의 비밀

전자책 시장 이해하기

전자책 시장은 빠르게 성장하고 있는 분야입니다. 첫 번째로, 전자책의 장점 중 하나는 접근성과 편리성입니다. 독자들은 언제 어디서나 전자책을 구매하고 읽을 수 있으며, 이는 특히 스마트폰과 태블릿의 보급으로 인해 더욱 두드러집니다. 예를 들어, Amazon Kindle과 같은 전자책 리더기는 독자들이 수천 권의 책을 손쉽게 휴대하고 읽을 수 있게 해줍니다. 전자책의 이러한 접근성과 편리성은 독자층을 넓히고, 전자책 시장의 성장을 촉진하는 주요 요인입니다.

두 번째로, 전자책은 출판 비용이 상대적으로 저렴합니다. 전통적인 출판 방식과 달리, 전자책은 인쇄 비용과 물류비가 들지 않습니다. 작가는 글을 작성하고, 이를 전자책 플랫폼에 업로드하는 것만으로 출판이 가능합니다. 예를 들어, Amazon Kindle Direct Publishing(KDP)은 작가가 손쉽게 전자책을 출판하고 판매할 수 있는 플랫폼을 제공합니다. 이러한 저렴한 출판 비용은 많은 독립 작가들이 전자책 출판을 시도하게 하는 주요 요인입니다.

세 번째로, 전자책 시장은 글로벌 시장입니다. 전자책은 인터넷을 통해 전 세계 어디서나 구매할 수 있으며, 이는 작가들이 전 세계 독자를 대상으로 글을 판매할 수 있는 기회를 제공합니다. 예를 들어, 영어로 작성된 전자책은 영어를 사용하는 전 세계 독자들에게 판매될 수 있습니다. 이는 전통적인 출판 방식에서는 어려운 일입니다. 전자책의 글로벌 시장성은 작가들이 더 넓은 독자층을 확보하고, 더 큰 수익을 창출할 수 있는 가능성을 제공합니다.

네 번째로, 전자책의 수익 분배 구조는 작가에게 유리합니다. 전자책 플랫폼은 판매 수익의 상당 부분을 작가에게 분배하며, 이는 전통적인 출판 방식에 비해 훨씬 높은 비율입니다. 예를 들어, Amazon KDP는 전자책 판매 가격의 최대 70%를 작가에게 지급합니다. 이러한 높은 수익 분배 비율은 작가들이 전자책 출판을 통해 더 많은 수익을 창출할 수 있도록 합니다. 이는 특히 독립 작가들에게 큰 매력으로 작용합니다.

마지막으로, 전자책 시장은 지속적으로 성장하고 있습니다. 디지털 콘텐츠 소비가 증가함에 따라, 전자책 시장도 꾸준히 확장되고 있습니다. 예를 들어, 코로나19 팬데믹 기간 동안 전자책의 수요가 급증했으며, 이는 전자책 시장의 성장을 가속화하는 요인이 되었습니다. 이러한 성장 추세는 전자책 출판이 여전히 유망한 수익 창출 방법임을 보여줍니다. 전자책 시장의 성장성은 작가들이 지속적으로 전자책 출판을 통해 수익을 창출할 수 있는 가능성을 제공합니다.

출판 과정과 전략

전자책 출판 과정은 여러 단계로 나누어집니다. 첫 번째 단계는 글쓰기입니다. 작가는 전자책의 내용을 작성하고, 이를 체계적으로 구성해야 합니다. 이 과정에서 중요한 것은 독자가 쉽게 이해하고 흥미를 가질 수 있도록 글을 작성하는 것입니다. 예를 들어, 챕터를 명확히 나누고, 각 챕터의 내용을 체계적으로 정리하는 것이 중요합니다. 글쓰기는 전자책 출판의 첫 단계이며, 이 단계에서의 노력은 최종 결과물의 품질에 큰 영향을 미칩니다.

두 번째 단계는 편집과 교정입니다. 작성된 원고는 철저한 편집과 교정을 거쳐야 합니다. 이는 문법적 오류를 수정하고, 글의 논리적 일관성을 유지하는 데 중요합니다. 예를 들어, 편집 과정에서 내용의 흐름을 점검하고, 불필요한 부분을 삭제하거나 보완할 수 있습니다. 교정은 철저히 문법적 오류와 오타를 잡아내는 과정입니다. 편집과 교정은 전자책의 품질을 높이는 중요한 단계입니다.

세 번째 단계는 디자인과 포맷팅입니다. 전자책의 표지 디자인과 내부 포맷팅은 독자의 첫인상을 결정짓는 중요한 요소입니다. 예를 들어, Canva와 같은 도구를 사용하여 매력적인 표지를 디자인할 수 있습니다. 내부 포맷팅은 글의 가독성을 높이는 데 중요하며, 이는 다양한 전자책 리더기에서 잘 보여야 합니다. 포맷팅 작업은 ePub, Mobi 등의 전자책 포맷으로 변환하는 것을 포함합니다. 디자인과 포맷팅은 전자책의 시각적 매력을 높이는 중요한 단계입니다.

네 번째 단계는 출판과 배포입니다. 전자책을 출판하기 위해서는 Amazon KDP와 같은 전자책 플랫폼에 업로드해야 합니다. 이 과정에서 책의 메타데이터(제목, 저자, 설명 등)를 입력하고, 판매 가격을 설정합니다. 예를 들어, Amazon KDP에서는 전자책의 가격을 자유롭게 설정할 수 있으며, 가격에 따라 로열티 비율이 달라집니다. 출판 과정은 전자책을 독자에게 제공하는 마지막 단계이며, 이 과정이 원활히 이루어져야 합니다.

마지막 단계는 마케팅과 홍보입니다. 전자책이 출판된 후에는 효과적인 마케팅과 홍보가 필요합니다. 예를 들어, 소셜 미디어, 블로그, 이메일 뉴스레터 등을 통해 전자책을 홍보할 수 있습니다. 또한, Amazon의 광고 서비스를 활용하여 더 많은 독자에게 노출될 수 있습니다. 마케팅은 전자책의 판매를 촉진하고, 더 많은 독자에게 도달하는 데 중요한 역할을 합니다. 지속적인 홍보 활동을 통해 전자책의 판매를 극대화할 수 있습니다.

성공적인 전자책 사례

전자책 출판을 통해 성공을 거둔 사례는 매우 다양합니다. 첫 번째 사례로, 휴 그랜트(Hugh Howey)를 들 수 있습니다. 그는 독립 출판을 통해 '울(Wool)'이라는 시리즈를 출판하고, 큰 성공을 거두었습니다. 처음에는 전자책으로 출판된 이 시리즈는 큰 인기를 끌었고, 이후 전통 출판사와의 계약으로 이어졌습니다. 휴 그랜트의 사례는 독립 출판이 큰 성공을 거둘 수 있음을 보여줍니다. 독립 출판은 작가가 자신의 작품에 대한 통제권을 유지하면서도, 큰 수익을 창출할 수 있는 방법입니다.

두 번째 사례로, 아만다 호킹(Amanda Hocking)을 들 수 있습니다. 아만다 호킹은 자신의 소설을 전자책으로 출판하여 큰 성공을 거두었습니다. 그녀는 Amazon KDP를 통해 전자책을 출판하였고, 수백만 달러의 수익을 올렸습니다. 아만다 호킹의 사례는 전자책 출판이 큰 수익을 창출할 수 있는 잠재력을 가지고 있음을 보여줍니다. 전자책 출판은 초기 비용이 적게 들며, 지속적인 수익 창출이 가능한 좋은 방법입니다.

세 번째 사례로, 마크 도슨(Mark Dawson)을 들 수 있습니다. 그는 스릴러 소설을 전자책으로 출판하여 큰 성공을 거두었습니다. 마크 도슨은 자신의 전자책을 효과적으로 마케팅하여 많은 독자를 확보했습니다. 그는 소셜 미디어와 이메일 마케팅을 통해 독자와의 긴밀한 관계를 형성하였고, 이를 통해 지속적인 수익을 창출하고 있습니다. 마크 도슨의 사례는 효과적인 마케팅 전략이 전자책의 성공에 중요한 역할을 한다는 것을 보여줍니다.

네 번째 사례로, 니콜라 요안나(Nicole Joanna)를 들 수 있습니다. 그녀는 자기계발 및 라이프스타일 주제의 전자책을 출판하여 큰 성공을 거두었습니다. 니콜라 요안나는 자신의 전자책을 다양한 플랫폼에서 판매하였고, 이를 통해 글로벌 독자층을 확보했습니다. 그녀의 사례는 전자책이 특정 분야의 전문 지식을 전달하고, 이를 통해 큰 수익을 창출할 수 있음을 보여줍니다. 전자책은 다양한 주제와 분야에서 성공적인 출판을 가능하게 합니다.

마지막 사례로, 스티브 스콧(Steve Scott)을 들 수 있습니다. 그는 생산성, 자기계발, 비즈니스 등의 주제로 전자책을 출판하여 큰 성공을 거두었습니다. 스티브 스콧은 지속적으로 새로운 전자책을 출판하며, 이를 통해 안정적인 수익을 창출하고 있습니다. 그의 사례는 전자책 출판이 지속적인 수익을 창출할 수 있는 방법임을 보여줍니다. 전자책 출판은 초기 투자 비용이 적게 들며, 지속적인 수익 창출이 가능합니다.

유료 콘텐츠의 가능성

유료 칼럼과 구독 모델

유료 칼럼과 구독 모델은 콘텐츠 제공자가 독자에게 직접 비용을 청구하는 방식입니다. 첫 번째로, 유료 칼럼은 특정 주제에 대한 깊이 있는 분석과 인사이트를 제공하는 콘텐츠입니다. 예를 들어, 금융 전문가가 매주 시장 동향을 분석하고, 투자 전략을 제시하는 유료 칼럼을 운영할 수 있습니다. 독자들은 이러한 전문 지식에 대해 비용을 지불하고 구독하게 됩니다. 유료 칼럼은 전문가의 지식을 유료화하여 수익을 창출하는 좋은 방법입니다.

두 번째로, 구독 모델은 독자가 정기적으로 콘텐츠를 구독하고, 구독료를 지불하는 방식입니다. Substack과 같은 플랫폼을 통해 쉽게 유료 구독 모델을 운영할 수 있습니다. 예를 들어, 한 작가가 매주 독창적인 에세이를 작성하여 유료 구독자에게 제공하는 사례가 있습니다. 구독 모델은 독자와의 긴밀한 관계를 형성하고, 안정적인 수익을 창출할 수 있는 방법입니다. 지속적인 콘텐츠 제공과 높은 품질의 정보가 중요한 요소입니다.

세 번째로, 유료 콘텐츠는 독자에게 높은 가치를 제공해야 합니다. 독자들은 비용을 지불하고 콘텐츠를 구독하기 때문에, 높은 품질과 유용한 정보를 기대합니다. 예를 들어, 특정 주제에 대한 전문 지식, 최신 트렌드 분석, 독창적인 인사이트 등을 제공하는 것이 중요합니다. 유료 콘텐츠는 무료 콘텐츠와 차별화된 가치를 제공하여, 독자들이 비용을 지불할 만한 이유를 명확히 제시해야 합니다.

네 번째로, 유료 콘텐츠의 마케팅은 매우 중요합니다. 유료 구독자를 확보하기 위해서는 효과적인 마케팅 전략이 필요합니다. 예를 들어, 소셜 미디어, 이메일 뉴스레터, 블로그 등을 통해 유료 콘텐츠를 홍보할 수 있습니다. 또한, 무료 콘텐츠를 제공하여 독자들이 유료 콘텐츠의 가치를 체험할 수 있도록 하는 것도 좋은 방법입니다. 마케팅은 유료 콘텐츠의 성공을 결정짓는 중요한 요소입니다.

마지막으로, 유료 콘텐츠의 지속 가능성을 고려해야 합니다. 유료 콘텐츠는 일회성이 아니라 지속적으로 제공되어야 하며, 이를 통해 독자와의 신뢰 관계를 유지해야 합니다. 예를 들어, 정기적으로 새로운 콘텐츠를 제공하고, 독자들의 피드백을 반영하여 콘텐츠를 개선하는 것이 중요합니다. 유료 콘텐츠의 지속 가능성은 독자와의 긴밀한 관계를 유지하고, 장기적인 수익을 창출하는 데 중요한 역할을 합니다.

독자를 끌어들이는 방법

유료 콘텐츠를 성공적으로 운영하기 위해서는 독자를 끌어들이는 전략이 매우 중요합니다. 첫 번째로, 독자의 관심을 끌 수 있는 주제를 선택하는 것이 중요합니다. 독자들이 필요로 하고 관심을 가지는 주제를 다루는 것이 성공의 열쇠입니다. 예를 들어, 최신 트렌드, 전문 지식, 실용적인 팁 등을 제공하는 주제는 독자의 관심을 끌 수 있습니다. 주제를 선택할 때는 독자의 요구와 관심사를 철저히 분석하고 반영해야 합니다.

두 번째로, 무료 콘텐츠를 제공하여 독자들이 유료 콘텐츠의 가치를 체험할 수 있도록 해야 합니다. 예를 들어, 일부 콘텐츠를 무료로 제공하여 독자들이 유료 콘텐츠의 품질과 유용성을 직접 경험할 수 있게 합니다. 이러한 전략은 독자들이 유료 구독을 결정하는 데 큰 도움이 됩니다. 무료 콘텐츠는 유료 콘텐츠의 가치를 홍보하는 효과적인 방법입니다.

세 번째로, 독자와의 상호작용을 강화하는 것이 중요합니다. 유료 콘텐츠 구독자는 단순한 소비자가 아니라, 콘텐츠 제공자와 긴밀한 관계를 맺고 싶어 합니다. 예를 들어, 댓글, 이메일, 소셜 미디어 등을 통해 독자와의 소통을 강화하고, 독자들의 피드백을 적극 반영하는 것이 중요합니다. 독자와의 상호작용은 콘텐츠의 품질을 높이고, 독자의 충성도를 강화하는 데 중요한 역할을 합니다.

네 번째로, 독자에게 특별한 혜택을 제공하는 것도 효과적인 전략입니다. 유료 구독자에게만 제공되는 특별한 콘텐츠, 이벤트, 할인 혜택 등을 제공하여 구독의 가치를 높일 수 있습니다. 예를 들어, 유료 구독자에게만 제공되는 독점 인터뷰, 심층 분석 보고서 등을 제공할 수 있습니다. 이러한 특별한 혜택은 독자들이 유료 구독을 선택하는 중요한 이유가 될 수 있습니다.

마지막으로, 독자들에게 신뢰를 구축하는 것이 중요합니다. 유료 콘텐츠는 독자들의 신뢰를 바탕으로 운영됩니다. 신뢰를 구축하기 위해서는 높은 품질의 콘텐츠를 지속적으로 제공하고, 독자와의 약속을 지키는 것이 중요합니다. 예를 들어, 정기적으로 콘텐츠를 업데이트하고, 독자들이 기대하는 정보를 제공하는 것이 중요합니다. 신뢰를 구축한 콘텐츠는 독자들의 충성도를 높이고, 지속적인 수익을 창출하는 데 중요한 역할을 합니다.

수익 창출 전략

유료 콘텐츠를 통해 효과적으로 수익을 창출하기 위해서는 다양한 전략이 필요합니다. 첫 번째로, 다양한 가격 모델을 제공하는 것이 중요합니다. 독자들의 요구와 예산에 맞춘 다양한 가격 옵션을 제공하여 더 많은 구독자를 확보할 수 있습니다. 예를 들어, 월간 구독, 연간 구독, 프리미엄 구독 등 다양한 옵션을 제공하여 독자들이 자신의 필요에 맞는 구독을 선택할 수 있게 합니다. 가격 모델의 다양성은 더 많은 구독자를 확보하는 데 도움이 됩니다.

두 번째로, 구독자 유지 전략을 마련하는 것이 중요합니다. 새로운 구독자를 확보하는 것만큼 기존 구독자를 유지하는 것도 중요합니다. 예를 들어, 정기적으로 구독자와 소통하고, 구독자의 피드백을 반영하여 콘텐츠를 개선하는 것이 중요합니다. 또한, 구독자의 관심을 지속적으로 끌 수 있는 새로운 콘텐츠와 혜택을 제공하여 구독자의 충성도를 높이는 것이 필요합니다. 구독자 유지 전략은 장기적인 수익 창출에 중요한 역할을 합니다.

세 번째로, 다양한 채널을 통해 유료 콘텐츠를 홍보하는 것이 중요합니다. 소셜 미디어, 이메일 뉴스레터, 블로그, 팟캐스트 등 다양한 채널을 활용하여 유료 콘텐츠를 홍보할 수 있습니다. 예를 들어, 소셜 미디어에서 유료 콘텐츠의 하이라이트를 소개하고, 블로그에서 무료 콘텐츠를 제공하여 유료 구독을 유도할 수 있습니다. 다양한 채널을 통한 홍보는 더 많은 독자에게 유료 콘텐츠를 알리고, 구독을 유도하는 데 도움이 됩니다.

네 번째로, 독자의 참여를 유도하는 것이 중요합니다. 독자들이 콘텐츠에 적극적으로 참여하고, 피드백을 제공할 수 있도록 유도하는 것이 필요합니다. 예를 들어, 독자 설문조사, 댓글, Q&A 세션 등을 통해 독자들의 의견을 수집하고, 이를 바탕으로 콘텐츠를 개선할 수 있습니다. 독자의 참여는 콘텐츠의 품질을 높이고, 독자와의 긴밀한 관계를 형성하는 데 중요한 역할을 합니다.

마지막으로, 데이터 분석을 통해 콘텐츠 전략을 최적화하는 것이 중요합니다. 유료 콘텐츠의 성과를 분석하고, 데이터를 바탕으로 전략을 조정하는 것이 필요합니다. 예를 들어, 구독자 수, 구독 유지율, 콘텐츠 열람률 등을 분석하여 어떤 콘텐츠가 인기가 있고, 어떤 전략이 효과적인지 파악할 수 있습니다. 데이터 분석을 통해 지속적으로 콘텐츠 전략을 최적화하고, 수익을 극대화할 수 있습니다. 데이터 기반의 전략은 유료 콘텐츠의 성공을 위한 중요한 요소입니다.

제 5 장

독자를
사로잡는
글쓰기

독자의 특성을 분석하고 타겟팅하며, 효과적인 글쓰기 기법과 독자 참여 전략을 사용하여 독자의 관심을 끌고 메시지를 명확하게 전달하는 것이 중요하며, 소셜 미디어는 이러한 과정을 지원하는 강력한 도구입니다.

독자의 마음을 여는 열쇠

독자 분석과 타겟팅

독자 분석과 타겟팅은 성공적인 글쓰기를 위한 첫 번째 단계입니다. 독자 분석은 글을 읽을 잠재적인 독자의 특성과 필요를 이해하는 과정입니다. 이를 통해 어떤 콘텐츠가 독자에게 가장 흥미롭고 유익할지 판단할 수 있습니다. 예를 들어, 어린이를 대상으로 한 동화책을 쓸 때, 독자의 연령대, 흥미, 이해 수준 등을 고려하여 내용을 구성해야 합니다. 타겟팅은 이러한 분석을 바탕으로 특정 독자 그룹을 설정하고, 그들에게 맞춘 글을 작성하는 것을 의미합니다. 이는 글이 독자에게 더 잘 전달되고, 흥미를 끌 수 있도록 돕습니다.

효과적인 타겟팅은 글의 주제와 톤, 스타일을 결정하는 데 큰 역할을 합니다. 예를 들어, 비즈니스 전문가를 대상으로 한 글은 전문적이고 간결한 스타일을 유지해야 하며, 최신 트렌드와 구체적인 데이터를 포함해야 합니다. 반면, 일반 대중을 대상으로 한 글은 더 친근하고 쉬운 언어를 사용하며, 흥미로운 이야기와 실생활 예시를 포함할 수 있습니다. 이러한 타겟팅은 독자가 글을 더 쉽게 이해하고 공감할 수 있도록 돕습니다. 타겟 독자의 특성을 정확히 파악하고, 그들의 기대와 요구를 충족시키는 것이 중요합니다.

독자 분석을 통해 얻은 데이터는 글의 구조와 내용 구성에도 영향을 미칩니다. 예를 들어, 청소년을 대상으로 한 글은 짧은 문장과 명확한 메시지를 포함하여 집중력을 유지하게 해야 합니다. 또한, 시각적인 요소를 많이 포함하여 독자의 관심을 끌수 있습니다. 반면, 학술적인 글은 더 깊이 있는 분석과 긴 문장을 포함할 수 있으며, 자료와 근거를 명확하게 제시해야 합니다. 독자분석을 통해 글의 형식을 조정함으로써, 독자가 글을 더 쉽게 소화하고, 내용에 몰입할 수 있도록 합니다.

독자 분석은 지속적으로 업데이트되고, 타겟팅 전략은 유연하게 조정되어야 합니다. 독자의 관심사와 요구는 시간이 지남에 따라 변할 수 있으며, 새로운 트렌드와 이슈가 등장할 수 있습니다. 예를 들어, 코로나19 팬데믹 동안 많은 독자들이 건강과 웰빙에 대한 관심이 증가했습니다. 이에 따라, 건강 관련 콘텐츠의 수요가 급증하였으며, 타겟팅 전략을 이에 맞춰 조정하는 것이 중요했습니다. 독자 분석과 타겟팅은 정적인 과정이 아니라, 끊임없이 변화하는 독자의 요구에 대응하는 동적인 과정입니다.

독자 분석과 타겟팅의 성공 사례로는 '허핑턴 포스트'를 들 수 있습니다. 허핑턴 포스트는 초기부터 철저한 독자 분석을 통해 다양한 독자 그룹을 타겟팅하였으며, 각 그룹에 맞춘 맞춤형 콘텐츠를 제공했습니다. 이를 통해 독자의 광범위한 관심사를 반영한 다양한 주제의 글을 제공함으로써, 큰 성공을 거두었습니다. 허핑턴 포스트의 사례는 독자 분석과 타겟팅이 어떻게 글쓰기의 성공에 기여할 수 있는지를 잘 보여줍니다. 독자의 요구를 정확히 파악하고, 그에 맞춘 콘텐츠를 제공하는 것이 중요합니다.

효과적인 글쓰기 기법

효과적인 글쓰기 기법은 독자의 관심을 끌고, 글의 메시지를 명확하게 전달하는 데 중요합니다. 첫 번째로, 간결하고 명확한 문장을 사용하는 것이 중요합니다. 독자는 복잡하고 긴 문장을 읽기 어려워하며, 핵심 메시지를 놓칠 수 있습니다. 예를 들어, 한 문장에 여러 아이디어를 담기보다는, 각각의 아이디어를 분명하게 나누어 짧고 명확한 문장으로 표현하는 것이 좋습니다. 간결한 문장은 독자가 글을 더 쉽게 이해하고, 중요한 정보를 빠르게 파악할 수 있도록 돕습니다.

두 번째로, 강력한 시작과 결말을 구성하는 것이 중요합니다. 글의 시작 부분은 독자의 관심을 끌고, 계속 읽고 싶은 동기를 부여해야 합니다. 예를 들어, 충격적인 사실이나 질문으로 시작하거나, 독자의 감정을 자극하는 이야기를 도입부에 배치할 수 있습니다. 반면, 결말 부분은 글의 요점을 강조하고, 독자가 글을 읽은 후 무엇을 해야 할지 명확히 제시해야 합니다. 강력한 결말은 독자에게 깊은 인상을 남기고, 글의 메시지를 오래 기억하게 합니다.

세 번째로, 예시와 사례를 활용하여 글의 내용을 구체화하는 것이 중요합니다. 추상적인 개념이나 아이디어는 독자가 쉽게 이해하기 어렵습니다. 따라서, 실생활에서의 예시나 구체적인 사례를 통해 내용을 설명하면 독자가 더 쉽게 공감하고 이해할 수 있습니다. 예를 들어, 특정 전략의 효과를 설명할 때는 그 전략을 실제로 적용한 사례를 소개하고, 그 결과를 제시하는 것이 효과적입니다. 예시와 사례는 독자의 이해도를 높이고, 글의 신뢰성을 강화하는 데 도움이 됩니다.

네 번째로, 독자와의 소통을 강화하는 글쓰기 기법을 사용하는 것이 중요합니다. 독자가 글을 읽으면서 글쓴이와 직접 대화하는 듯한 느낌을 받을 수 있도록, 질문을 던지거나 독자의 의견을 묻는 방식으로 글을 작성할 수 있습니다. 예를 들어, "여러분은 어떻게 생각하십니까?"와 같은 질문을 던지거나, "이 방법을 시도해 보셨나요?"와 같은 방식으로 독자의 참여를 유도할 수 있습니다. 독자와의 소통은 글의 몰입도를 높이고, 독자의 참여를 촉진하는 데 중요한 역할을 합니다.

마지막으로, 글의 흐름과 논리적 일관성을 유지하는 것이 중요합니다. 독자는 논리적으로 구성된 글을 읽을 때 더 쉽게 이해하고, 글의 메시지를 명확하게 파악할 수 있습니다. 따라서, 글의 각 부분이 자연스럽게 연결되도록 하고, 논리적 순서를 따르는 것이 중요합니다. 예를 들어, 원인과 결과, 문제와 해결책 등의 구조를 사용하여 글을 구성하면 독자가 글의 흐름을 더 쉽게 따라갈 수 있습니다. 논리적 일관성은 독자의 이해를 돕고, 글의 설득력을 높이는 데 중요한 역할을 합니다.

독자 참여 유도 전략

독자 참여 유도 전략은 독자가 글에 더 깊이 몰입하고, 적극적으로 반응하도록 하는 방법입니다. 첫 번째로, 질문을 통해 독자의 참여를 유도하는 것이 효과적입니다. 질문은 독자가 글을 읽으면서 자신의 생각을 정리하고, 글쓴이와의 상호작용을 느끼게 합니다. 예를 들어, "여러분은 이 문제에 대해 어떻게 생각하십니까?"와 같은 질문을 던지면 독자가 글에 대한 자신의 의견을 생각해 보게 됩니다. 질문은 독자와의 소통을 강화하고, 글의 몰입도를 높이는 데 중요한 역할을 합니다.

두 번째로, 독자의 경험을 반영한 글쓰기가 중요합니다. 독자가 자신의 경험과 연결지을 수 있는 글은 더 큰 공감을 이끌어낼 수 있습니다. 예를 들어, 특정 주제에 대해 독자들이 흔히 겪는 문제나 상황을 언급하고, 이에 대한 해결책을 제시하는 방식으로 글을 작성할 수 있습니다. 독자의 경험을 반영한 글은 독자에게 더 큰 의미를 부여하며, 글의 메시지를 더 강하게 전달할 수 있습니다. 이는 독자의 참여를 유도하고, 글에 대한 긍정적인 반응을 이끌어내는 데 도움이 됩니다.

세 번째로, 소셜 미디어를 활용하여 독자의 참여를 촉진할 수 있습니다. 소셜 미디어는 독자가 글에 대해 쉽게 반응하고, 자신의 의견을 공유할 수 있는 플랫폼을 제공합니다. 예를 들어, 글을 소셜 미디어에 공유하고, 댓글이나 반응을 통해 독자와의 소통을 강화할 수 있습니다. 또한, 소셜 미디어를 통해 독자들이 글을 공유하고, 더 많은 사람들에게 확산될 수 있도록 유도할 수 있습니다. 소셜 미디어는 독자 참여를 촉진하고, 글의 도달 범위를 넓히는 데 중요한 역할을 합니다.

네 번째로, 독자의 피드백을 적극적으로 수용하고 반영하는 것이 중요합니다. 독자들은 자신의 의견이 반영된 글에 더 큰 만족감을 느끼며, 지속적으로 참여할 동기를 갖게 됩니다. 예를 들어, 독자의 의견을 반영하여 새로운 주제를 다루거나, 독자의 질문에 대한 답변을 글로 작성하는 방식으로 피드백을 반영할 수 있습니다. 독자의 피드백을 수용하고 반영하는 과정은 독자와의 신뢰를 쌓고, 글의 품질을 높이는 데 중요한 역할을 합니다.

마지막으로, 독자와의 직접적인 소통을 강화하는 방법이 있습니다. 예를 들어, 글의 끝부분에 독자와의 대화를 유도하는 문구를 추가하거나, 이메일 뉴스레터를 통해 독자와의 소통을 강화할 수 있습니다. 또한, 독자가 질문이나 의견을 제출할 수 있는 창구를 마련하여, 글에 대한 피드백을 받을 수 있습니다. 이러한 직접적인 소통은 독자와의 관계를 강화하고, 글에 대한 독자의 충성도를 높이는 데 중요한 역할을 합니다.

소셜 미디어와 글쓰기

SNS의 영향력

소셜 미디어는 현대 사회에서 글쓰기와 콘텐츠 배포에 막대한 영향을 미치고 있습니다. 첫 번째로, 소셜 미디어는 글의 도달 범위를 극대화할 수 있는 강력한 도구입니다. 전통적인 매체와 달리, 소셜 미디어를 통해 작성된 글은 전 세계의 수백만 명의 사용자에게 빠르게 전파될 수 있습니다. 예를 들어, 트위터에서 트렌딩된 글은 수분 내에 수천 번 리트윗되며, 폭넓은 독자층에게 도달할 수 있습니다. 이러한 확산력은 소셜 미디어가 글쓰기와 콘텐츠 배포에서 중요한 플랫폼으로 자리잡게 하는 요인입니다.

두 번째로, 소셜 미디어는 즉각적인 피드백과 상호작용을 가능하게 합니다. 독자들은 댓글, 좋아요, 공유 등을 통해 글에 대한 즉각적인 반응을 제공할 수 있습니다. 예를 들어, 페이스북에서 게시된 글은 몇 분 안에 수십 개의 댓글과 반응을 얻을 수 있습니다. 이러한 즉각적인 피드백은 글쓴이가 독자의 반응을 실시간으로 확인하고, 이에 따라 내용을 조정하거나 새로운 아이디어를 얻는 데 유용합니다. 소셜 미디어는 독자와의 직접적인 소통을 강화하는 중요한 도구입니다.

세 번째로, 소셜 미디어는 다양한 콘텐츠 형식을 지원하여 글쓰기의 창의성을 확장할 수 있습니다. 텍스트 외에도 이미지, 동영상, 인포그래픽 등을 결합하여 더 풍부한 콘텐츠를 생성할 수 있습니다. 예를 들어, 인스타그램은 짧은 글과 함께 시각적인 이미지를 결합하여 독자에게 강렬한 인상을 남길 수 있는 플랫폼입니다. 이러한 다양한 형식은 독자의 관심을 끌고, 메시지를 더 효과적으로 전달할 수 있게 합니다. 소셜 미디어는 글쓰기의 형태와 스타일을 다양화하는 데 중요한 역할을 합니다.

네 번째로, 소셜 미디어는 특정 관심사를 가진 독자 그룹을 타겟팅할 수 있는 기능을 제공합니다. 페이스북, 인스타그램, 트위터 등은 사용자의 관심사, 활동, 위치 등을 기반으로 타겟팅 광고와 게시물을 제공할 수 있습니다. 예를 들어, 특정 주제에 관심이 많은 사용자 그룹을 대상으로 글을 게시하면, 더 높은 참여율과 반응을 기대할 수 있습니다. 타겟팅 기능은 글이 필요한 독자에게 도달할 수 있도록 하여, 글의 효과성을 극대화할 수 있습니다.

마지막으로, 소셜 미디어는 글의 장기적인 가치를 높이는 데 기여합니다. 소셜 미디어에서 공유된 글은 검색 엔진 최적화(SEO)에 긍정적인 영향을 미칠 수 있습니다. 예를 들어, 소셜 미디어에서 많은 반응을 얻은 글은 검색 엔진에서 더 높은 순위를 차지할 가능성이 큽니다. 이는 글의 가시성을 높이고, 더 많은 독자에게 도달할 수 있도록 합니다. 소셜 미디어는 글의 장기적인 가치를 높이고, 지속적인 트래픽을 유도하는 데 중요한 역할을 합니다.

AI를 활용한 SNS 콘텐츠

AI는 소셜 미디어 콘텐츠 생성과 관리에서 중요한 도구로 활용될 수 있습니다. 첫 번째로, AI는 콘텐츠 생성 과정을 자동화하여 시간과 노력을 절약할 수 있습니다. AI 기반 도구는 주어진 주제나 키워드를 바탕으로 자동으로 글을 작성할 수 있습니다. 예를 들어, GPT-3와 같은 언어 모델은 사용자가 입력한 정보에 따라 관련성 높은 글을 생성할 수 있습니다. 이러한 자동화는 콘텐츠 생성 속도를 높이고, 지속적으로 새로운 글을 게시할 수 있도록 돕습니다. AI는 콘텐츠 생성의 효율성을 극대화하는 중요한 도구입니다.

두 번째로, AI는 소셜 미디어 게시물의 최적화를 돕습니다. AI는 사용자 반응 데이터를 분석하여 가장 효과적인 게시물 형식, 길이, 게시 시간 등을 추천할 수 있습니다. 예를 들어, AI 도구는 특정 시간대에 게시된 글이 더 높은 참여율을 보이는지를 분석하고, 최적의 게시 시간을 추천할 수 있습니다. 이러한 최적화는 소셜 미디어에서의 참여율을 높이고, 글의 도달 범위를 확장하는 데 도움이 됩니다. AI는 데이터를 기반으로 한 최적화 전략을 제공하여 콘텐츠의 성과를 극대화합니다.

세 번째로, AI는 소셜 미디어에서의 상호작용을 개선할 수 있습니다. AI 기반 챗봇은 독자의 질문에 실시간으로 답변하고,

개인화된 추천을 제공할 수 있습니다. 예를 들어, AI 챗봇은 특정 주제에 대한 추가 정보를 제공하거나, 관련 글을 추천하여 독자의 관심을 지속시킬 수 있습니다. 이러한 상호작용은 독자와의 관계를 강화하고, 글에 대한 참여도를 높이는 데 중요한 역할을 합니다. AI는 독자와의 소통을 강화하는 도구로 활용될 수 있습니다.

네 번째로, AI는 콘텐츠의 감정 분석을 통해 독자의 반응을 이해할 수 있습니다. AI는 댓글, 리뷰, 반응 등을 분석하여 독자가 특정 글에 대해 어떻게 느끼는지를 파악할 수 있습니다. 예를 들어, AI는 긍정적인 반응과 부정적인 반응을 분류하고, 이를 바탕으로 콘텐츠의 개선 방향을 제안할 수 있습니다. 감정 분석은 독자의 감정을 이해하고, 이에 맞춘 콘텐츠 전략을 수립하는 데 중요한 역할을 합니다. AI는 독자의 감정을 파악하여 더 효과적인 글을 작성할 수 있도록 돕습니다.

마지막으로, AI는 트렌드 분석을 통해 미래의 콘텐츠 전략을 수립하는 데 기여할 수 있습니다. AI는 방대한 데이터를 분석하여 현재의 트렌드와 미래의 변화를 예측할 수 있습니다. 예를 들어, AI는 소셜 미디어에서 인기 있는 주제와 해시태그를 분석하고, 이를 바탕으로 새로운 콘텐츠 아이디어를 제안할 수 있습니다. 트렌드 분석은 콘텐츠가 항상 최신 트렌드를 반영하고, 독자의 관심을 끌 수 있도록 돕습니다. AI는 트렌드 분석을 통해 미래 지향적인 콘텐츠 전략을 수립하는 데 중요한 역할을 합니다.

성공적인 소셜 미디어 사례

성공적인 소셜 미디어 사례는 효과적인 전략과 창의적인 콘텐츠가 결합된 결과입니다. 첫 번째 사례로, 나이키(Nike)를 들 수 있습니다. 나이키는 인스타그램을 통해 강력한 비주얼 콘텐츠와 감동적인 스토리를 결합하여 브랜드 메시지를 전달하고 있습니다. 예를 들어, 나이키는 운동 선수들의 이야기와 성공 사례를 강조하는 콘텐츠를 제작하여 독자에게 영감을 주고, 브랜드에 대한 긍정적인 이미지를 형성하고 있습니다. 나이키의 사례는 감동적인 스토리텔링과 강력한 비주얼 콘텐츠가 소셜 미디어에서 큰 성공을 거둘 수 있음을 보여줍니다.

두 번째 사례로, 고프로(GoPro)를 들 수 있습니다. 고프로는 자사 제품을 활용한 사용자 생성 콘텐츠(User-Generated Content, UGC)를 효과적으로 활용하고 있습니다. 예를 들어, 고프로는 사용자들이 고프로 카메라로 촬영한 영상을 소셜 미디어에 공유하도록 장려하고, 이를 자사 계정에서 리그램하여 독자들의 참여를 유도하고 있습니다. 이러한 전략은 사용자들이 브랜드와의 연결을 느끼게 하고, 자발적으로 콘텐츠를 생성하도록 촉진합니다. 고프로의 사례는 UGC가 소셜 미디어 마케팅에서 큰 효과를 발휘할 수 있음을 보여줍니다.

세 번째 사례로, 올드 스파이스(Old Spice)를 들 수 있습니다. 올드 스파이스는 유머와 창의적인 광고 캠페인을 통해 소셜 미디어에서 큰 인기를 끌고 있습니다. 예를 들어, 'The Man Your Man Could Smell Like' 캠페인은 독특한 유머와 창의적인 비디오 콘텐츠로 큰 화제가 되었습니다. 이 캠페인은 소셜 미디어에서 수백만 번

공유되며, 브랜드에 대한 인지도를 높였습니다. 올드 스파이스의 사례는 창의적이고 유머러스한 콘텐츠가 소셜 미디어에서 큰 반응을 이끌어낼 수 있음을 보여줍니다.

네 번째 사례로, 레드불(Red Bull)을 들 수 있습니다. 레드불은 익스트림 스포츠와 모험을 주제로 한 강렬한 비디오 콘텐츠를 통해 브랜드 이미지를 강화하고 있습니다. 예를 들어, 레드불은 자사 유튜브 채널을 통해 익스트림 스포츠 이벤트와 모험을 담은 비디오를 정기적으로 게시하고 있습니다. 이러한 콘텐츠는 브랜드의 핵심 가치를 전달하고, 독자들에게 강렬한 인상을 남깁니다. 레드불의 사례는 특정 주제에 대한 지속적이고 일관된 콘텐츠가 소셜 미디어에서 성공을 거둘 수 있음을 보여줍니다.

마지막으로, 에어비앤비(Airbnb)를 들 수 있습니다. 에어비앤비는 소셜 미디어를 통해 사용자 경험을 강조하고, 커뮤니티를 형성하는 데 중점을 두고 있습니다. 예를 들어, 에어비앤비는 사용자들이 숙박 경험을 공유하도록 장려하고, 이를 소셜 미디어에서 강조하여 브랜드에 대한 신뢰와 친밀감을 형성하고 있습니다. 또한, 사용자들의 리뷰와 스토리를 통해 새로운 사용자들을 유치하고 있습니다. 에어비앤비의 사례는 사용자 경험을 강조하고, 커뮤니티를 형성하는 전략이 소셜 미디어에서 큰 성공을 거둘 수 있음을 보여줍니다.

커뮤니티와 관계 형성

독자 커뮤니티 구축하기

독자 커뮤니티를 구축하는 것은 글쓰기에서 중요한 전략입니다. 첫 번째로, 독자 커뮤니티는 지속적인 참여를 유도할 수 있는 플랫폼을 제공합니다. 독자들이 글에 대한 의견을 나누고, 질문을 제기하며, 서로의 생각을 공유할 수 있는 공간을 마련하는 것이 중요합니다. 예를 들어, 페이스북 그룹이나 디스코드 서버와 같은 온라인 커뮤니티 플랫폼을 활용할 수 있습니다. 이러한 커뮤니티는 독자들이 지속적으로 글에 참여하고, 글에 대한 관심을 유지할 수 있도록 돕습니다.

두 번째로, 독자 커뮤니티는 충성도 높은 독자를 확보하는 데 도움을 줍니다. 커뮤니티에서 활발히 활동하는 독자는 글쓴이와 강한 유대감을 형성하며, 글에 대한 지속적인 관심과 지지를 보입니다. 예를 들어, 정기적으로 글에 댓글을 남기거나, 커뮤니티 이벤트에 참여하는 독자는 글쓴이와 깊은 신뢰 관계를 형성할 수 있습니다. 이러한 충성도 높은 독자는 글의 장기적인 성공에 중요한 역할을 합니다.

세 번째로, 독자 커뮤니티는 글에 대한 피드백과 아이디어를 얻을 수 있는 중요한 자원입니다. 커뮤니티에서 독자들은 글에 대한 다양한 의견과 피드백을 제공하며, 새로운 아이디어를 제안할 수 있습니다. 예를 들어, 새로운 주제나 형식에 대한 제안을 통해 글의 다양성과 품질을 높일 수 있습니다. 독자 커뮤니티는 글쓴이가 독자의 요구와 기대에 부응할 수 있도록 돕는 중요한 역할을 합니다.

네 번째로, 독자 커뮤니티는 마케팅과 홍보의 중요한 채널이 될 수 있습니다. 커뮤니티 회원들은 자발적으로 글을 공유하고, 새로운 독자를 유치하는 데 도움을 줄 수 있습니다. 예를 들어, 커뮤니티에서 인기 있는 글이 소셜 미디어를 통해 확산되면, 더 많은 독자가 글을 접할 수 있게 됩니다. 커뮤니티는 글의 가시성을 높이고, 더 넓은 독자층을 확보하는 데 중요한 역할을 합니다.

마지막으로, 독자 커뮤니티는 글의 영향력을 확장하는 데 중요한 역할을 합니다. 커뮤니티 내에서의 활발한 상호작용과 공유는 글의 메시지를 더 많은 사람들에게 전달하는 데 도움을 줍니다. 예를 들어, 커뮤니티에서 논의된 주제나 아이디어가 다른 매체를 통해 확산되면, 글의 영향력이 크게 증가할 수 있습니다. 독자 커뮤니티는 글의 영향력을 확장하고, 더 많은 사람들에게 글의 메시지를 전달하는 데 중요한 역할을 합니다.

관계 형성의 중요성

독자와의 관계 형성은 성공적인 글쓰기와 콘텐츠 전략의 핵심입니다. 첫 번째로, 독자와의 관계는 글의 신뢰성을 높입니다. 독자가 글쓴이와 신뢰 관계를 형성하면, 글의 내용에 대해 더 큰 신뢰를 가지게 됩니다. 예를 들어, 독자가 글쓴이의 진정성과 전문성을 신뢰하면, 글의 메시지를 더 쉽게 받아들이고, 이를 바탕으로 행동할 가능성이 높아집니다. 신뢰 관계는 독자가 글을 지속적으로 읽고, 다른 사람에게 추천하는 중요한 요인입니다.

두 번째로, 독자와의 관계는 글의 영향력을 확대하는 데 중요합니다. 독자와의 강한 관계는 독자가 글을 적극적으로 공유하고, 다른 사람들에게 추천하게 합니다. 예를 들어, 독자가 글쓴이와의 관계를 통해 얻은 긍정적인 경험을 다른 사람들에게 이야기하면, 자연스럽게 더 많은 사람들이 글을 접하게 됩니다. 독자와의 관계는 글의 도달 범위를 넓히고, 더 많은 사람들에게 영향을 미칠 수 있게 합니다.

세 번째로, 독자와의 관계는 글의 지속 가능성을 높입니다. 독자와의 긴밀한 관계는 독자가 글쓴이의 새로운 글을 지속적으로 찾고 읽게 만듭니다. 예를 들어, 독자가 글쓴이의 소셜 미디어를 팔로우하고, 새로운 글이 게시될 때마다 알림을 받는다면, 글의 지속적인 독자를 확보할 수 있습니다. 독자와의 관계는 글의 지속적인 성공을 보장하는 중요한 요소입니다.

네 번째로, 독자와의 관계는 피드백과 개선의 중요한 원천입니다. 독자는 글에 대한 피드백을 제공하고, 개선할 수 있는 아이디어를 제안할 수 있습니다. 예를 들어, 독자가 글의 특정 부분에 대해 긍정적인 피드백을 제공하거나, 개선이 필요한 부분을 지적하면, 글쓴이는 이를 반영하여 글의 품질을 높일 수 있습니다. 독자와의 관계는 글의 발전과 성장을 촉진하는 중요한 역할을 합니다.

마지막으로, 독자와의 관계는 글쓰기의 동기부여와 영감을 제공합니다. 독자와의 긍정적인 상호작용은 글쓴이에게 큰 동기부여와 영감을 줄 수 있습니다. 예를 들어, 독자가 글에 대해 감사의 말을

전하거나, 글을 통해 삶이 변화했다는 이야기를 들으면, 글쓴이는 더 많은 글을 쓰고자 하는 열정을 가지게 됩니다. 독자와의 관계는 글쓰기의 원동력이자, 지속적인 창작을 위한 중요한 요소입니다.

커뮤니티 관리 방법

독자 커뮤니티를 효과적으로 관리하는 것은 커뮤니티의 활력과 지속 가능성을 유지하는 데 중요합니다. 첫 번째로, 명확한 규칙과 가이드라인을 설정하는 것이 중요합니다. 커뮤니티의 목적과 기대되는 행동 규범을 명확히 정의하면, 모든 회원이 동일한 기준을 이해하고 따를 수 있습니다. 예를 들어, 존중과 예의를 바탕으로 한 소통, 스팸 금지, 관련 없는 콘텐츠 게시 금지 등의 규칙을 설정할 수 있습니다. 명확한 규칙과 가이드라인은 커뮤니티의 질서를 유지하고, 긍정적인 환경을 조성하는 데 도움을 줍니다.

두 번째로, 활발한 참여와 소통을 촉진하는 것이 중요합니다. 커뮤니티 관리자는 회원들이 자유롭게 의견을 나누고, 질문하고, 도움을 받을 수 있는 환경을 제공해야 합니다. 예를 들어, 정기적인 토론 주제를 제시하거나, 회원들이 참여할 수 있는 이벤트를 개최할 수 있습니다. 이러한 활동은 회원들이 적극적으로 참여하도록 유도하고, 커뮤니티의 활력을 유지하는 데 중요한 역할을 합니다.

세 번째로, 회원들의 기여를 인정하고 보상하는 것이 중요합니다. 회원들이 커뮤니티에 기여하는 것을 인정하고, 이를 보상하면, 더 많은 참여를 유도할 수 있습니다. 예를 들어, 유익한 글을 작성하거나, 다른 회원들에게 도움을 준 회원을 공개적으로 칭찬하거나, 소정의 보상을 제공할 수 있습니다. 회원들의 기여를 인정하는 것은 커뮤니티의 유대감을 강화하고, 긍정적인 참여 문화를 조성하는 데 중요한 역할을 합니다.

네 번째로, 문제 상황에 신속하게 대응하는 것이 중요합니다. 커뮤니티에서는 종종 갈등이나 문제 상황이 발생할 수 있습니다. 이러한 상황에 신속하고 공정하게 대응하는 것이 중요합니다. 예를 들어, 규칙을 위반하는 게시물을 신속히 삭제하거나, 관련 회원에게 경고를 주는 등의 조치를 취할 수 있습니다. 문제 상황에 대한 신속한 대응은 커뮤니티의 질서를 유지하고, 다른 회원들이 안전하고 긍정적인 환경에서 활동할 수 있도록 합니다.

마지막으로, 지속적인 피드백과 개선을 통해 커뮤니티를 발전시키는 것이 중요합니다. 회원들의 의견을 지속적으로 수집하고, 이를 바탕으로 커뮤니티의 규칙과 운영 방식을 개선하는 것이 필요합니다. 예를 들어, 정기적인 설문조사를 통해 회원들의 만족도와 개선 요구를 파악하고, 이를 반영하여 커뮤니티를 발전시킬 수 있습니다. 지속적인 피드백과 개선은 커뮤니티의 질을 높이고, 장기적인 성공을 보장하는 데 중요한 역할을 합니다.

AI 도구를 활용하여

글쓰기의 효율성을 높이고

창작의 즐거움을 극대화하세요.

새로운 시대의

글쓰기를 경험해보세요.

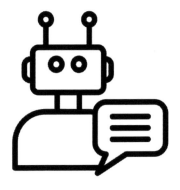

제 6 장

데이터와 글쓰기

데이터 분석과 시각화, 개인화와 맞춤형 콘텐츠 제작, 그리고 AI 기술을 활용한 글쓰기 전략이 현대 글쓰기에서 중요하며, 이들은 독자의 요구를 정확히 이해하고 만족시키는데 기여합니다.

데이터 기반의 글쓰기

데이터 분석과 활용

데이터 분석과 활용은 현대 글쓰기에 있어 중요한 요소입니다. 첫 번째로, 데이터는 독자의 관심사를 파악하는 데 큰 도움을 줍니다. 예를 들어, 구글 애널리틱스와 같은 도구를 사용하면 웹사이트 방문자의 행동 패턴을 분석할 수 있습니다. 페이지 방문 수, 체류 시간, 클릭 경로 등을 분석하여 독자가 어떤 콘텐츠에 관심을 가지고 있는지 파악할 수 있습니다. 이를 통해 작가는 독자의 요구에 맞춘 글을 작성할 수 있으며, 이는 독자의 참여도를 높이고 글의 효과를 극대화하는 데 중요한 역할을 합니다.

두 번째로, 데이터는 글의 주제를 선정하는 데 유용합니다. 예를 들어, 소셜 미디어 트렌드 분석 도구를 사용하면 현재 사람들이 많이 언급하는 주제나 키워드를 파악할 수 있습니다. 트위터의 트렌딩 주제나 구글 트렌드에서 제공하는 인기 검색어 데이터를 분석하여, 독자가 관심을 가질 만한 주제를 선택할 수 있습니다. 이는 글의 가시성을 높이고, 더 많은 독자를 끌어들이는 데 도움이 됩니다. 데이터 기반 주제 선정은 글이 독자에게 더 큰 영향을 미칠 수 있도록 합니다.

세 번째로, 데이터는 글의 구조와 형식을 결정하는 데 도움을 줍니다. 예를 들어, A/B 테스트를 통해 다양한 글의 형식과 스타일을 비교하여 어떤 형식이 더 효과적인지 분석할 수 있습니다. 뉴스레터의 제목, 이메일 본문, 블로그 글의 구조 등을 A/B 테스트하여 독자의 반응을 비교하면, 더 효과적인 글쓰기 방식을 찾을 수 있습니다. 이러한 데이터 분석은 글의 효율성을 높이고, 독자의 참여를 극대화하는 데 중요한 역할을 합니다.

네 번째로, 데이터는 글의 퍼포먼스를 측정하고 개선하는 데 중요한 도구입니다. 글이 게시된 후, 독자의 반응 데이터를 수집하고 분석하여 글의 성공 여부를 평가할 수 있습니다. 예를 들어, 클릭률, 공유 수, 댓글 수, 반응 시간 등을 분석하여 글이 독자에게 얼마나 잘 전달되었는지 평가할 수 있습니다. 이러한 퍼포먼스 데이터는 향후 글을 작성할 때 중요한 참고 자료가 되며, 글의 품질을 지속적으로 개선하는 데 도움이 됩니다.

마지막으로, 데이터는 글쓰기 전략을 세우는 데 중요한 역할을 합니다. 장기적인 데이터 분석을 통해 독자의 행동 패턴과 관심사의 변화를 파악하고, 이에 맞춰 글쓰기 전략을 조정할 수 있습니다. 예를 들어, 특정 주제에 대한 관심이 지속적으로 증가하는 경우, 해당 주제를 중심으로 더 많은 콘텐츠를 제작할 수 있습니다. 데이터 기반 글쓰기 전략은 독자의 요구에 맞춘 맞춤형 콘텐츠를 제공하고, 글의 효과를 극대화하는 데 중요한 역할을 합니다.

글쓰기의 과학적 접근

글쓰기를 과학적으로 접근하는 것은 데이터를 활용하여 글의 효과를 극대화하는 방법입니다. 첫 번째로, 글의 가독성을 높이는 방법을 과학적으로 분석할 수 있습니다. 예를 들어, 가독성 점수(Flesch-Kincaid)와 같은 지표를 사용하여 글이 얼마나 쉽게 읽히는지 평가할 수 있습니다. 이러한 지표는 문장의 길이, 단어의 복잡성 등을 분석하여 점수를 산출합니다. 가독성 점수가 높은 글은 독자가 더 쉽게 이해하고, 더 오래 머물게 할 수 있습니다. 가독성을 높이는 과학적 접근은 독자의 만족도를 높이는 데 중요한 역할을 합니다.

두 번째로, 글의 감정적 반응을 분석하는 방법이 있습니다. AI 기반 감정 분석 도구를 사용하여 글이 독자에게 어떤 감정을 유발하는지 파악할 수 있습니다. 예를 들어, 특정 단어나 문장이 긍정적, 부정적, 중립적인 감정을 유발하는지 분석하여 글의 감정적 톤을 조절할 수 있습니다. 이는 독자가 글을 읽을 때 느끼는 감정적 반응을 조절하여, 더 큰 공감과 참여를 이끌어내는 데 도움이 됩니다. 감정적 반응 분석은 글의 영향을 극대화하는 중요한 방법입니다.

세 번째로, 글의 구조와 형식을 최적화하는 방법을 과학적으로 접근할 수 있습니다. 데이터를 기반으로 가장 효과적인 글의 구조를 분석하고, 이를 바탕으로 글을 작성할 수 있습니다. 예를 들어, 도입부에서 독자의 관심을 끌고, 중간 부분에서 정보를 제공하며, 결론에서 강력한 메시지를 전달하는 구조가 효과적일 수 있습니다. 이러한 구조는 독자가 글을 끝까지 읽도록 유도하고, 글의 핵심 메시지를 명확히 전달하는 데 도움이 됩니다. 글의 구조 최적화는 글의 전달력을 높이는 중요한 요소입니다.

네 번째로, 독자의 피드백을 과학적으로 분석하여 글의 품질을 개선할 수 있습니다. 설문조사, 댓글 분석, 리뷰 등을 통해 독자가 글에 대해 어떻게 느끼고, 어떤 부분을 개선해야 하는지 파악할 수 있습니다. 예를 들어, 독자가 글의 특정 부분을 이해하기 어려워한다면, 해당 부분을 수정하여 더 쉽게 이해할 수 있도록 개선할 수 있습니다. 독자의 피드백을 과학적으로 분석하는 것은 글의 품질을 지속적으로 높이는 데 중요한 역할을 합니다.

마지막으로, 글의 퍼포먼스를 지속적으로 모니터링하고 개선하는 과학적 접근이 필요합니다. 글이 게시된 후, 주기적으로 퍼포먼스 데이터를 수집하고 분석하여 글의 효과를 평가하고, 필요한 개선 조치를 취할 수 있습니다. 예를 들어, 특정 글이 예상보다 낮은 참여율을 보인다면, 해당 글의 주제, 구조, 스타일 등을 분석하여 개선할 수 있습니다. 지속적인 퍼포먼스 모니터링은 글의 품질을 유지하고, 독자의 만족도를 높이는 데 중요한 역할을 합니다.

데이터 시각화 도구들

데이터 시각화 도구는 글쓰기 과정에서 데이터를 더 쉽게 이해하고 활용할 수 있도록 도와줍니다. 첫 번째로, 데이터 시각화 도구는 복잡한 데이터를 시각적으로 표현하여 더 쉽게 이해할 수 있게 합니다. 예를 들어, Tableau와 같은 도구는 다양한 데이터를 차트, 그래프, 대시보드 등으로 시각화하여 한눈에 파악할 수 있도록 돕습니다. 이러한 시각화는 데이터의 중요한 패턴과 트렌드를 쉽게 파악할 수 있게 하여, 더 나은 글쓰기 전략을 수립하는 데 도움이 됩니다.

두 번째로, 데이터 시각화 도구는 데이터 기반 글쓰기에서 중요한 역할을 합니다. 예를 들어, Google Data Studio는 웹사이트 트래픽, 사용자 행동, 소셜 미디어 성과 등을 시각화하여 보여줍니다. 이를 통해 글쓴이는 어떤 콘텐츠가 독자에게 가장 인기가 있는지, 어떤 부분을 개선해야 하는지를 명확히 이해할 수 있습니다. 데이터 시각화 도구는 글의 효과를 평가하고, 데이터에 기반한 결정을 내리는 데 중요한 역할을 합니다.

세 번째로, 데이터 시각화 도구는 독자와의 소통을 강화하는 데 도움이 됩니다. 복잡한 데이터를 시각적으로 표현하여 독자에게 더 쉽게 이해시키고, 글의 메시지를 더 강력하게 전달할 수 있습니다. 예를 들어, 인포그래픽은 데이터와 정보를 시각적으로 결합하여 독자가 쉽게 이해하고 기억할 수 있도록 돕습니다. 이러한 시각화는 글의 가독성을 높이고, 독자가 글에 더 쉽게 몰입할 수 있도록 합니다.

네 번째로, 데이터 시각화 도구는 실시간 데이터를 모니터링하고 분석하는 데 유용합니다. 실시간 데이터를 시각적으로 표현하여 글의 성과를 실시간으로 파악하고, 필요한 조치를 즉시 취할 수 있습니다. 예를 들어, 실시간 트래픽 데이터, 클릭률, 사용자 참여율 등을 모니터링하여 글의 퍼포먼스를 평가하고, 필요한 경우 즉각적으로 수정할 수 있습니다. 실시간 데이터 시각화는 글의 효과를 지속적으로 최적화하는 데 중요한 도구입니다.

마지막으로, 데이터 시각화 도구는 글쓰기의 교육과 훈련에서도 중요한 역할을 합니다. 데이터를 시각적으로 표현하여 글쓰기 과정에서 발생하는 다양한 패턴과 문제를 쉽게 이해하고 해결할 수 있습니다. 예를 들어, 데이터 시각화 도구를 사용하여 글쓰기 과정에서 발생하는 오류, 독자의 반응 패턴, 콘텐츠 성과 등을 시각적으로 분석하고 개선할 수 있습니다. 데이터 시각화 도구는 글쓰기의 질을 높이고, 지속적인 학습과 개선을 촉진하는 중요한 도구입니다.

개인화와 맞춤형 콘텐츠

맞춤형 글쓰기 전략

맞춤형 글쓰기 전략은 독자의 개인적 특성과 관심사를 반영하여 콘텐츠를 제작하는 방법입니다. 첫 번째로, 독자의 프로파일링을 통해 맞춤형 콘텐츠를 제작할 수 있습니다. 독자의 연령, 성별, 직업, 관심사 등의 데이터를 수집하고 분석하여, 각 독자 그룹에 맞춘 글을 작성하는 것입니다. 예를 들어, 청소년 독자를 대상으로 한 글은 그들의 관심사와 언어를 반영하여 작성하고, 전문가 독자를 대상으로 한 글은 전문 용어와 깊이 있는 분석을 포함할 수 있습니다. 맞춤형 글쓰기는 독자의 만족도를 높이고, 더 큰 참여를 유도합니다.

두 번째로, 독자의 행동 데이터를 기반으로 맞춤형 콘텐츠를 제작할 수 있습니다. 웹사이트 방문 기록, 클릭 패턴, 검색어 등을 분석하여 독자가 어떤 주제에 관심이 있는지 파악하고, 이에 맞춘 글을 작성하는 것입니다. 예를 들어, 특정 주제를 자주 검색하는 독자에게는 그 주제와 관련된 더 깊이 있는 글을 제공할 수 있습니다. 행동 데이터 기반 맞춤형 콘텐츠는 독자의 요구를 정확히 반영하여, 더 높은 관심과 참여를 이끌어냅니다.

세 번째로, 이메일 마케팅을 활용한 맞춤형 글쓰기 전략이 있습니다. 이메일 구독자의 데이터를 분석하여, 각 구독자에게 맞춘 개인화된 이메일을 보내는 것입니다. 예를 들어, 구독자의 과거 열람 기록과 관심사를 분석하여, 그들이 관심을 가질 만한 콘텐츠를 추천하고 제공할 수 있습니다. 개인화된 이메일은 구독자의 참여를 높이고, 클릭률과 열람률을 증가시키는 데 효과적입니다. 이메일 마케팅은 개인화된 콘텐츠 제공을 통해 독자와의 관계를 강화하는 중요한 도구입니다.

네 번째로, 소셜 미디어 플랫폼을 활용한 맞춤형 글쓰기 전략이 있습니다. 소셜 미디어에서 독자의 활동 데이터를 분석하여, 각 독자에게 맞춘 콘텐츠를 제공하는 것입니다. 예를 들어, 페이스북 광고 타겟팅 기능을 활용하여, 특정 관심사를 가진 사용자에게 맞춘 광고와 콘텐츠를 노출시킬 수 있습니다. 소셜 미디어 기반 맞춤형 콘텐츠는 더 높은 참여율을 보이며, 독자의 관심을 끌기에 효과적입니다. 소셜 미디어는 맞춤형 글쓰기 전략을 구현하는 데 중요한 플랫폼입니다.

마지막으로, AI와 머신러닝을 활용한 맞춤형 글쓰기 전략이 있습니다. AI 기술을 활용하여 독자의 데이터를 분석하고, 각 독자에게 맞춘 콘텐츠를 자동으로 생성하는 것입니다. 예를 들어, AI 기반 추천 시스템은 독자의 과거 데이터를 분석하여, 그들이 관심을 가질 만한 콘텐츠를 추천하고 제공할 수 있습니다. 이러한 기술은 개인화된 콘텐츠 제공을 자동화하여, 더 많은 독자에게 맞춤형 글을 제공할 수 있게 합니다. AI와 머신러닝은 맞춤형 글쓰기 전략을 구현하는 데 혁신적인 도구입니다.

AI를 통한 개인화 기법

 AI를 통한 개인화 기법은 독자에게 맞춤형 콘텐츠를 제공하는 혁신적인 방법입니다. 첫 번째로, AI 기반 추천 시스템은 독자의 행동 데이터를 분석하여 개인화된 콘텐츠를 추천할 수 있습니다. 예를 들어, 넷플릭스는 사용자의 시청 기록과 선호도를 분석하여 맞춤형 콘텐츠를 추천합니다. 이는 사용자가 더 높은 만족도를 느끼고, 더 많은 콘텐츠를 소비하게 만드는 효과적인 방법입니다. AI 추천 시스템은 독자의 관심사를 정확히 반영하여, 개인화된 콘텐츠 제공을 가능하게 합니다.

 두 번째로, AI 챗봇을 활용한 개인화 기법이 있습니다. AI 챗봇은 독자와의 실시간 상호작용을 통해 개인화된 정보를 제공하고, 독자의 질문에 답변할 수 있습니다. 예를 들어, 고객 서비스 챗봇은 독자의 문의에 즉각적으로 응답하고, 필요한 정보를 제공함으로써 독자의 만족도를 높입니다. AI 챗봇은 24/7 서비스를 제공하며, 독자의 요구에 빠르게 대응할 수 있어 개인화된 경험을 제공하는 데 유용합니다.

 세 번째로, AI 기반의 콘텐츠 생성 도구를 활용한 개인화 기법이 있습니다. 이러한 도구는 독자의 데이터를 분석하여, 각 독자에게 맞춘 개인화된 글을 자동으로 작성할 수 있습니다. 예를 들어, GPT-3와 같은 언어 모델은 사용자의 입력 데이터를 바탕으로 개인화된 이메일, 블로그 포스트, 뉴스레터 등을 생성할 수 있습니다. AI 기반 콘텐츠 생성 도구는 대규모 개인화를 가능하게 하여, 더 많은 독자에게 맞춤형 콘텐츠를 제공할 수 있습니다.

네 번째로, AI를 활용한 감정 분석 기법이 있습니다. AI는 독자의 감정적 반응을 분석하여, 개인화된 콘텐츠를 제공하는 데 도움을 줄 수 있습니다. 예를 들어, 소셜 미디어 게시물의 댓글이나 리뷰를 분석하여 독자의 감정 상태를 파악하고, 이에 맞춘 콘텐츠를 추천할 수 있습니다. 감정 분석은 독자의 기분과 감정에 맞춘 콘텐츠를 제공하여, 더 큰 공감과 참여를 이끌어낼 수 있습니다. AI 감정 분석 기법은 개인화된 콘텐츠 제공을 한층 더 정교하게 만듭니다.

마지막으로, AI 기반의 행동 예측 기법이 있습니다. AI는 독자의 과거 행동 데이터를 분석하여, 미래의 행동을 예측할 수 있습니다. 예를 들어, AI는 독자의 과거 클릭 패턴과 열람 기록을 바탕으로, 어떤 콘텐츠를 가장 좋아할지 예측하고 추천할 수 있습니다. 이러한 예측은 개인화된 콘텐츠 제공을 더욱 정교하게 하여, 독자의 만족도를 높이고, 더 많은 참여를 유도할 수 있습니다. AI 행동 예측 기법은 개인화된 글쓰기 전략을 효과적으로 구현하는 데 중요한 역할을 합니다.

독자 맞춤형 콘텐츠 사례

독자 맞춤형 콘텐츠 사례는 개인화된 글쓰기 전략의 효과를 잘 보여줍니다. 첫 번째 사례로, 아마존의 추천 시스템을 들 수 있습니다. 아마존은 고객의 구매 기록과 검색 데이터를 분석하여 맞춤형 상품 추천을 제공합니다. 예를 들어, 특정 장르의 책을 자주 구매하는 고객에게는 해당 장르의 신간 도서와 관련 상품을 추천합니다. 이러한 개인화된 추천 시스템은 고객의 만족도를 높이고, 재구매를 유도하여 매출을 증가시키는 데 큰 효과를 발휘합니다.

두 번째 사례로, 넷플릭스의 개인화된 콘텐츠 추천 시스템을 들수 있습니다. 넷플릭스는 사용자의 시청 기록과 선호도를 분석하여 맞춤형 콘텐츠를 추천합니다. 예를 들어, 특정 장르의 영화를 자주시청하는 사용자에게는 해당 장르의 새로운 영화와 시리즈를 추천합니다. 이러한 개인화된 추천은 사용자의 만족도를 높이고, 시청시간을 증가시키는 데 큰 효과를 발휘합니다. 넷플릭스의 개인화된추천 시스템은 AI 기술을 활용한 대표적인 성공 사례입니다.

세 번째 사례로, 스포티파이의 맞춤형 플레이리스트를 들 수있습니다. 스포티파이는 사용자의 음악 청취 기록을 분석하여 개인화된 플레이리스트를 제공합니다. 예를 들어, 사용자가특정 아티스트나 장르를 자주 듣는 경우, 그와 유사한 음악을 추천하는 맞춤형 플레이리스트를 생성합니다. 이러한 개인화된플레이리스트는 사용자의 만족도를 높이고, 더 많은 음악을청취하도록 유도하는 데 효과적입니다. 스포티파이의 맞춤형플레이리스트는 개인화된 콘텐츠 제공의 성공적인 예입니다.

네 번째 사례로, 뉴욕 타임스의 개인화된 뉴스레터를 들 수있습니다. 뉴욕 타임스는 구독자의 관심사를 분석하여 맞춤형뉴스레터를 제공합니다. 예를 들어, 특정 주제에 관심이 많은구독자에게는 그 주제와 관련된 최신 뉴스와 분석 기사를추천합니다. 이러한 개인화된 뉴스레터는 구독자의 만족도를높이고, 더 많은 기사 열람을 유도하는 데 효과적입니다. 뉴욕타임스의 개인화된 뉴스레터는 독자 맞춤형 콘텐츠 제공의 좋은예입니다.

마지막으로, 유튜브의 개인화된 동영상 추천 시스템을 들 수 있습니다. 유튜브는 사용자의 시청 기록과 검색 데이터를 분석하여 맞춤형 동영상을 추천합니다. 예를 들어, 특정 주제의 동영상을 자주 시청하는 사용자에게는 해당 주제와 관련된 새로운 동영상을 추천합니다. 이러한 개인화된 추천 시스템은 사용자의 만족도를 높이고, 더 많은 동영상을 시청하도록 유도하는 데 큰 효과를 발휘합니다. 유튜브의 개인화된 동영상 추천 시스템은 AI 기술을 활용한 대표적인 성공 사례입니다.

성과 측정과 개선

글쓰기의 성과 측정 방법

글쓰기의 성과를 측정하는 것은 콘텐츠의 효과를 평가하고 개선하는 데 중요합니다. 첫 번째로, 웹사이트 분석 도구를 활용하여 글의 성과를 측정할 수 있습니다. 예를 들어, 구글 애널리틱스를 사용하면 페이지뷰, 세션 시간, 이탈률 등의 데이터를 통해 글의 성과를 평가할 수 있습니다. 이러한 데이터는 글이 얼마나 많은 독자에게 도달했는지, 독자들이 글에 얼마나 오래 머물렀는지를 보여줍니다. 웹사이트 분석 도구는 글의 성과를 객관적으로 평가하는 데 중요한 역할을 합니다.

두 번째로, 소셜 미디어 분석 도구를 통해 글의 성과를 측정할 수 있습니다. 페이스북 인사이트, 트위터 애널리틱스, 인스타그램 인사이트와 같은 도구는 게시물의 도달 범위, 참여도, 공유 수 등을 분석하여 글의 성과를 평가할 수 있습니다. 예를 들어, 특정 글이 얼마나 많은 좋아요, 댓글, 공유를 받았는지 분석하여 글의 인기도를 평가할 수 있습니다. 소셜 미디어 분석 도구는 글의 바이럴리티와 독자 반응을 평가하는 데 유용합니다.

세 번째로, 이메일 마케팅 도구를 활용하여 뉴스레터나 이메일 캠페인의 성과를 측정할 수 있습니다. Mailchimp, Sendinblue와 같은 도구는 열람률, 클릭률, 구독 취소율 등의 데이터를 제공하여 이메일 콘텐츠의 성과를 평가할 수 있습니다. 예를 들어, 특정 뉴스레터의 열람률과 클릭률을 분석하여 독자들이 어떤 콘텐츠에 관심을 가졌는지 평가할 수 있습니다. 이메일 마케팅 도구는 뉴스레터와 이메일 캠페인의 효과를 측정하는 데 중요한 역할을 합니다.

네 번째로, 독자의 피드백과 설문조사를 통해 글의 성과를 평가할 수 있습니다. 독자들에게 직접 피드백을 요청하거나, 설문조사를 통해 글에 대한 의견을 수집할 수 있습니다. 예를 들어, 글이 얼마나 유익했는지, 이해하기 쉬웠는지, 어떤 부분을 개선해야 하는지 등의 질문을 통해 독자의 의견을 수집할 수 있습니다. 독자의 피드백은 글의 강점과 약점을 파악하고, 개선할 부분을 찾는 데 중요한 자료가 됩니다.

마지막으로, A/B 테스트를 통해 글의 성과를 비교하고 개선할 수 있습니다. A/B 테스트는 두 가지 버전의 글을 동시에 테스트하여 어느 쪽이 더 효과적인지 비교하는 방법입니다. 예를 들어, 제목, 구조, 스타일 등을 다르게 한 두 버전의 글을 테스트하여 어느 버전이 더 높은 참여도를 보이는지 분석할 수 있습니다. A/B 테스트는 글의 성과를 객관적으로 비교하고, 최적의 글쓰기 전략을 찾는 데 중요한 도구입니다.

개선을 위한 피드백 활용

독자의 피드백을 활용하여 글을 개선하는 것은 글쓰기의 중요한 부분입니다. 첫 번째로, 독자의 피드백은 글의 강점과 약점을 파악하는 데 도움을 줍니다. 독자들은 글을 읽고 난 후 솔직한 의견을 제공하며, 이를 통해 글의 어떤 부분이 잘 되었고, 어떤 부분이 개선이 필요한지 알 수 있습니다. 예를 들어, 독자가 특정 문장의 의미를 이해하기 어려웠다는 피드백을 주면, 해당 문장을 더 명확하게 수정할 수 있습니다. 독자의 피드백은 글의 질을 높이는 데 중요한 역할을 합니다.

두 번째로, 독자의 피드백은 글의 구조와 흐름을 개선하는 데 유용합니다. 독자들은 글을 읽으면서 자연스럽게 글의 흐름을 느끼며, 이 과정에서 불편함을 느낄 수 있습니다. 예를 들어, 독자가 글의 도입부가 너무 길거나, 중간 부분이 이해하기 어렵다고 느낀다면, 해당 부분을 수정하여 글의 흐름을 더 원활하게 만들 수 있습니다. 피드백을 통해 글의 구조를 개선하면 독자가 더 쉽게 읽고 이해할 수 있습니다.

세 번째로, 독자의 피드백은 콘텐츠의 깊이와 질을 향상시키는 데 도움을 줍니다. 독자들은 글의 내용에 대해 구체적인 피드백을 제공하며, 이를 통해 더 깊이 있는 분석이나 추가 정보를 제공할 수 있습니다. 예를 들어, 독자가 특정 주제에 대해 더 많은 정보나 사례를 원한다면, 이를 반영하여 글을 더욱 풍부하게 만들 수 있습니다. 독자의 피드백은 콘텐츠의 질을 높이고, 독자의 기대에 부응하는 데 중요한 역할을 합니다.

네 번째로, 독자의 피드백은 글의 스타일과 톤을 조정하는 데 유용합니다. 독자들은 글의 스타일과 톤에 대해 다양한 의견을 제공하며, 이를 통해 글의 전반적인 느낌을 조정할 수 있습니다. 예를 들어, 독자가 글의 톤이 너무 딱딱하거나 공식적이라고 느낀다면, 더 친근하고 자연스러운 톤으로 수정할 수 있습니다. 피드백을 반영하여 글의 스타일과 톤을 조정하면 독자가 더 쉽게 공감하고 몰입할 수 있습니다.

마지막으로, 독자의 피드백은 지속적인 학습과 성장을 촉진합니다. 글을 작성하고 독자의 피드백을 수집하는 과정은 글쓴이에게 귀중한 학습 기회를 제공합니다. 예를 들어, 반복적으로 지적되는 문제점을 개선하고, 독자의 요구를 반영하여 글을 작성하면, 글쓴이의 글쓰기 능력이 지속적으로 향상됩니다. 독자의 피드백은 글쓴이의 성장과 발전을 도모하는 중요한 요소입니다.

지속적인 성과 개선 전략

글쓰기의 성과를 지속적으로 개선하는 전략은 글의 질을 높이고, 독자의 만족도를 유지하는 데 중요합니다. 첫 번째로, 주기적인 성과 평가와 분석이 필요합니다. 글이 게시된 후 일정 기간이 지나면 성과 데이터를 수집하고 분석하여 글의 효과를 평가해야 합니다. 예를 들어, 페이지뷰, 클릭률, 참여도 등의 데이터를 분석하여 글의 성과를 평가할 수 있습니다. 주기적인 성과 평가는 글의 강점과 약점을 파악하고, 필요한 개선 조치를 취하는 데 중요한 역할을 합니다.

두 번째로, 지속적인 학습과 개선을 위한 피드백 루프를 구축해야 합니다. 독자의 피드백을 지속적으로 수집하고, 이를 바탕으로 글을 개선하는 과정이 필요합니다. 예를 들어, 독자 설문조사, 댓글 분석, 리뷰 등을 통해 독자의 의견을 수집하고, 이를 반영하여 글의 내용을 수정할 수 있습니다. 피드백 루프는 글의 품질을 지속적으로 높이는 데 중요한 도구입니다.

세 번째로, 새로운 글쓰기 기술과 트렌드를 학습하고 적용하는 것이 중요합니다. 글쓰기 기술과 트렌드는 끊임없이 변화하며, 최신 기술과 트렌드를 학습하고 적용하면 글의 경쟁력을 유지할 수 있습니다. 예를 들어, AI 기반 글쓰기 도구, 데이터 분석 기술, 소셜 미디어 트렌드 등을 학습하고 글에 적용할 수 있습니다. 새로운 기술과 트렌드를 적용하면 글의 질을 높이고, 독자의 관심을 끌 수 있습니다.

네 번째로, A/B 테스트와 실험을 통해 글의 효과를 최적화해야 합니다. 다양한 글쓰기 기법과 구조를 테스트하여 어느 방법이 가장 효과적인지 비교하고, 최적의 글쓰기 전략을 찾는 것이 중요합니다. 예를 들어, 제목, 서론, 결론 등의 다양한 버전을 테스트하여 독자의 반응을 분석하고, 가장 효과적인 버전을 선택할 수 있습니다. A/B 테스트는 글의 성과를 지속적으로 개선하는 데 중요한 도구입니다.

마지막으로, 지속적인 학습과 성장을 위한 글쓰기 커뮤니티에 참여하는 것이 중요합니다. 글쓰기 커뮤니티는 다른 작가들과의 교류를 통해 새로운 아이디어와 인사이트를 얻을 수 있는 중요한 장소입니다. 예를 들어, 온라인 글쓰기 그룹, 작가 워크숍, 글쓰기 세미나 등에 참여하여 다른 작가들의 경험과 지식을 공유하고 배울 수 있습니다. 글쓰기 커뮤니티는 지속적인 학습과 성장을 도모하는 중요한 자원입니다.

제 7 장

글쓰기의
다양한 형태

디지털 작가 시대에서 AI는 스크립트 작성, 리뷰, 평가
등에서 중요한 역할을 하며 아이디어 생성, 최적화, 대사
작성, 번역, 피드백 분석 등을 도와 시간과 노력을 줄이고
품질을 향상시킵니다.

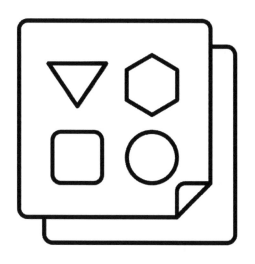

블로그와 기사 작성

블로그의 역할과 중요성

블로그는 현대 사회에서 정보 공유와 소통의 중요한 도구로 자리 잡았습니다. 블로그는 개인이나 기업이 자신의 생각과 정보를 자유롭게 표현하고 공유할 수 있는 플랫폼을 제공합니다. 예를 들어, 개인 블로거는 자신의 관심사와 경험을 기록하고, 독자들과의 소통을 통해 피드백을 받으며 성장을 도모할 수 있습니다. 기업 블로그는 제품과 서비스에 대한 정보를 제공하고, 고객과의 관계를 강화하는 데 중요한 역할을 합니다. 블로그는 다양한 주제와 형식으로 독자와 소통하며, 독자의 관심과 참여를 이끌어내는 데 효과적입니다.

블로그의 또 다른 중요한 역할은 SEO(Search Engine Optimization) 향상입니다. 블로그를 통해 정기적으로 업데이트되는 콘텐츠는 검색 엔진에서 웹사이트의 가시성을 높이는 데 기여합니다. 예를 들어, 특정 키워드를 중심으로 한 블로그 글은 검색 엔진 결과에서 상위에 노출될 가능성이 높아집니다. 이는 웹사이트의 트래픽을 증가시키고, 더 많은 독자가 콘텐츠를 접할 수 있게 합니다. SEO를 통한 가시성 향상은 블로그가 가진 중요한 기능 중 하나입니다.

블로그는 또한 전문 지식을 공유하고 권위 있는 목소리를 구축하는 데 중요한 역할을 합니다. 예를 들어, 특정 분야에서 깊이 있는 지식을 가진 블로거는 자신의 블로그를 통해 그 지식을 공유하고, 이를 통해 해당 분야에서의 권위와 신뢰를 구축할 수 있습니다. 이는 독자들에게 유용한 정보를 제공함과 동시에, 블로거 자신의 명성을 높이는 데 기여합니다. 전문 지식을 기반으로 한 블로그는 독자들에게 큰 가치를 제공하며, 블로거와 독자 간의 신뢰를 형성하는 데 중요한 역할을 합니다.

블로그는 커뮤니티 형성과 소셜 네트워킹에도 중요한 역할을 합니다. 블로그를 통해 비슷한 관심사를 가진 사람들이 모여 의견을 나누고, 서로의 경험을 공유할 수 있습니다. 예를 들어, 특정 주제에 대한 블로그 포스트에 달리는 댓글과 토론은 독자들 간의 교류를 촉진하고, 커뮤니티를 형성하는 데 기여합니다. 블로그는 소셜 미디어와 연계하여 더 넓은 네트워크를 형성하고, 독자들과의 긴밀한 관계를 유지하는 데 중요한 역할을 합니다.

마지막으로, 블로그는 개인과 기업의 브랜딩에 중요한 영향을 미칩니다. 블로그를 통해 일관된 메시지와 이미지를 전달함으로써, 독자들에게 강력한 브랜드 인식을 심어줄 수 있습니다. 예를 들어, 특정 스타일과 톤을 유지하는 블로그 글은 독자들에게 블로거나 기업의 고유한 브랜드 이미지를 형성하게 합니다. 이는 브랜드 충성도를 높이고, 독자들에게 지속적인 관심을 받는 데 중요한 역할을 합니다. 블로그는 브랜딩의 중요한 도구로 활용될 수 있습니다.

기사 작성의 기본 원칙

기사 작성에는 몇 가지 중요한 원칙이 있습니다. 첫 번째 원칙은 객관성과 정확성입니다. 기사는 사실에 기반하여 작성되어야 하며, 주관적인 의견이나 해석을 최소화해야 합니다. 예를 들어, 뉴스 기사는 사건의 발생 시간, 장소, 관련 인물 등의 구체적인 정보를 정확하게 제공해야 합니다. 객관성과 정확성을 유지하는 것은 독자에게 신뢰를 주고, 기사의 신뢰성을 높이는 데 중요한 역할을 합니다.

두 번째 원칙은 명료성과 간결성입니다. 기사는 독자들이 쉽게 이해할 수 있도록 명확하고 간결하게 작성되어야 합니다. 복잡한 문장이나 어려운 용어를 피하고, 핵심 정보를 간결하게 전달하는 것이 중요합니다. 예를 들어, 기사의 첫 문장(리드 문장)은 기사의 주요 내용을 요약하여 독자가 기사 전체를 이해하는 데 도움이 되도록 작성해야 합니다. 명료성과 간결성은 독자의 이해를 돕고, 기사의 효과를 극대화하는 데 중요합니다.

세 번째 원칙은 구조와 일관성입니다. 기사는 논리적인 구조와 일관된 흐름을 유지해야 합니다. 일반적으로 기사는 가장 중요한 정보를 먼저 제공하고, 이후에 부가적인 정보와 세부 사항을 추가하는 역피라미드 구조를 따릅니다. 예를 들어, 사건의 주요 사실을 먼저 제시한 후, 사건의 배경이나 관련 정보를 덧붙이는 방식입니다. 구조와 일관성은 독자가 기사를 읽을 때 혼란 없이 정보를 이해할 수 있도록 돕습니다.

네 번째 원칙은 출처의 명확한 표시입니다. 기사는 인용된 정보나 데이터의 출처를 명확히 밝혀야 합니다. 이는 기사의 신뢰성을 높이고, 독자가 제공된 정보를 검증할 수 있도록 돕습니다. 예를 들어, 통계 자료를 인용할 때는 해당 자료의 출처와 발행일을 명확히 기재해야 합니다. 출처의 명확한 표시는 기사의 투명성을 유지하고, 독자에게 신뢰를 주는 데 중요한 역할을 합니다.

마지막 원칙은 독자와의 소통입니다. 기사는 독자가 궁금해할 질문에 대한 답변을 제공하고, 독자의 관심을 끌 수 있도록 작성되어야 합니다. 예를 들어, 독자가 사건의 배경이나 맥락에 대해 궁금해할 수 있으므로, 이러한 정보를 기사에 포함시키는 것이 중요합니다. 또한, 기사의 톤과 스타일은 독자층에 맞추어 조정되어야 합니다. 독자와의 소통은 기사의 가독성을 높이고, 독자의 참여를 유도하는 데 중요한 역할을 합니다.

성공적인 블로그와 기사 사례

성공적인 블로그와 기사 작성 사례는 효과적인 글쓰기 전략과 원칙을 잘 보여줍니다. 첫 번째 사례로, 뉴욕 타임스의 디지털 기사들을 들 수 있습니다. 뉴욕 타임스는 철저한 사실 확인과 객관성을 유지하면서도, 독자가 쉽게 이해할 수 있는 명료하고 간결한 문체로 기사를 작성합니다. 예를 들어, 뉴욕 타임스의 탐사 보도는 깊이 있는 분석과 정확한 데이터에 기반하여 작성되며, 독자에게 신뢰를 줍니다. 이러한 기사는 독자의 관심을 끌고, 높은 조회수를 기록하는 데 기여합니다.

두 번째 사례로, 허핑턴 포스트의 블로그 글들을 들 수 있습니다. 허핑턴 포스트는 다양한 주제를 다루면서도, 독자의 관심을 끌 수 있는 흥미로운 콘텐츠를 제공합니다. 예를 들어, 허핑턴 포스트의 블로그 글은 개인적인 이야기와 사회적 이슈를 결합하여 독자가 쉽게 공감할 수 있는 내용을 담고 있습니다. 이러한 블로그 글은 독자의 참여를 유도하고, 댓글과 공유를 통해 널리 확산됩니다.

허핑턴 포스트의 성공 사례는 독자와의 소통과 참여를 중요시하는 블로그 글쓰기의 좋은 예입니다.

세 번째 사례로, 개인 블로거인 팻 플린의 사례를 들 수 있습니다. 팻 플린은 자신의 블로그 '스마트 패시브 인컴(Smart Passive Income)'을 통해 다양한 수익 창출 방법과 비즈니스 아이디어를 공유합니다. 그의 글은 명확하고 실용적인 정보를 제공하며, 독자들이 바로 적용할 수 있는 구체적인 조언을 포함하고 있습니다. 팻 플린의 블로그는 많은 독자에게 유익한 정보를 제공하며, 높은 조회수와 참여를 기록하고 있습니다. 이는 독자의 요구를 정확히 파악하고, 그에 맞춘 콘텐츠를 제공한 결과입니다.

네 번째 사례로, 영국 가디언지의 인터랙티브 기사를 들 수 있습니다. 가디언지는 멀티미디어 요소를 활용하여 독자가 기사를 더 흥미롭게 읽을 수 있도록 합니다. 예를 들어, 가디언지의 특정 기사들은 동영상, 그래픽, 인포그래픽 등을 결합하여 독자가 복잡한 정보를 더 쉽게 이해할 수 있도록 돕습니다. 이러한 인터랙티브 기사는 독자의 관심을 끌고, 기사의 내용을 더 효과적으로 전달하는 데 기여합니다.

마지막으로, 블로거 마크 맨슨의 사례를 들 수 있습니다. 마크 맨슨은 자기계발과 심리학을 주제로 한 블로그 글을 통해 전 세계 수백만 명의 독자에게 영감을 주고 있습니다. 그의 글은 솔직하고 유머러스한 스타일로 작성되며, 독자들에게 깊은 인상을 남깁니다. 예를 들어, 그의 대표적인 블로그 글 'The Subtle Art of Not

Giving a F*ck'는 명확한 메시지와 강렬한 표현으로 큰 인기를 끌었습니다. 마크 맨슨의 성공 사례는 독자와의 감정적 연결을 중시하는 글쓰기의 좋은 예입니다.

스크립트와 대본 작성

영상 콘텐츠의 중요성

영상 콘텐츠는 현대 디지털 마케팅과 커뮤니케이션에서 중요한 역할을 하고 있습니다. 첫 번째로, 영상 콘텐츠는 시각적이고 청각적인 요소를 결합하여 강렬한 인상을 남길 수 있습니다. 예를 들어, 제품 홍보 영상은 제품의 기능과 사용 방법을 시각적으로 보여주고, 설명을 덧붙여 소비자가 제품을 더 잘 이해하고 기억하게 만듭니다. 시각적 요소와 청각적 요소의 결합은 메시지를 효과적으로 전달하고, 소비자의 관심을 끌기에 매우 효과적입니다.

두 번째로, 영상 콘텐츠는 다양한 플랫폼에서 광범위한 도달 범위를 가지고 있습니다. 유튜브, 페이스북, 인스타그램 등 다양한 소셜 미디어 플랫폼을 통해 영상 콘텐츠를 쉽게 공유하고 확산할 수 있습니다. 예를 들어, 유튜브에 업로드된 영상은 전 세계 수백만 명의 사용자에게 도달할 수 있으며, 페이스북에서 공유된 영상은 친구와 팔로워들 사이에서 빠르게 확산될 수 있습니다. 이러한 플랫폼의 활용은 영상 콘텐츠의 도달 범위를 넓히고, 더 많은 사람들에게 메시지를 전달할 수 있게 합니다.

세 번째로, 영상 콘텐츠는 높은 참여율을 유도할 수 있습니다. 영상은 텍스트나 이미지보다 더 많은 감정적 반응을 불러일으킬 수 있으며, 이는 시청자의 참여를 유도하는 데 효과적입니다. 예를 들어, 감동적인 이야기나 재미있는 콘텐츠는 시청자가 댓글을 남기거나, 좋아요를 누르거나, 친구와 공유하게 만듭니다. 높은 참여율은 영상 콘텐츠의 바이럴리티를 높이고, 더 많은 시청자에게 도달할 수 있도록 합니다.

네 번째로, 영상 콘텐츠는 브랜드 인식을 강화하는 데 중요한 역할을 합니다. 일관된 브랜드 메시지와 비주얼 스타일을 유지한 영상 콘텐츠는 시청자에게 강력한 브랜드 인상을 남길 수 있습니다. 예를 들어, 특정 색상과 로고, 슬로건을 일관되게 사용하는 영상 콘텐츠는 시청자가 브랜드를 쉽게 인식하고 기억하게 만듭니다. 브랜드 인식을 강화하는 것은 장기적인 마케팅 전략에서 매우 중요합니다.

마지막으로, 영상 콘텐츠는 SEO를 향상시키는 데 도움이 됩니다. 검색 엔진은 사용자가 선호하는 콘텐츠 유형을 분석하여 검색 결과를 최적화합니다. 예를 들어, 유튜브 영상이 포함된 웹페이지는 검색 엔진 결과에서 더 높은 순위를 차지할 가능성이 큽니다. 또한, 영상 콘텐츠는 사용자의 체류 시간을 늘리고, 이는 검색 엔진의 알고리즘에 긍정적인 영향을 미칩니다. 영상 콘텐츠는 SEO를 향상시키고, 웹사이트의 가시성을 높이는 중요한 도구입니다.

스크립트 작성 기법

스크립트 작성은 효과적인 영상 콘텐츠 제작의 핵심입니다. 첫 번째로, 스토리라인을 명확하게 설정하는 것이 중요합니다.

스토리라인은 영상의 전반적인 흐름과 구조를 결정하며, 시청자의 관심을 끌고 유지하는 데 중요한 역할을 합니다. 예를 들어, 도입부에서 문제를 제기하고, 중간 부분에서 해결책을 제시하며, 결론에서 메시지를 명확히 전달하는 구조를 사용할 수 있습니다. 명확한 스토리라인은 시청자가 영상의 내용을 쉽게 이해하고 따라갈 수 있도록 돕습니다.

두 번째로, 캐릭터와 대사를 생동감 있게 구성해야 합니다. 캐릭터는 영상의 이야기를 이끌어가는 주체이며, 시청자가 감정적으로 공감할 수 있는 요소입니다. 예를 들어, 주인공이 직면한 갈등과 이를 극복하는 과정을 생동감 있게 표현하면, 시청자가 더 몰입하게 됩니다. 대사는 자연스럽고 현실감 있게 작성되어야 하며, 캐릭터의 성격과 상황에 맞춰 조정되어야 합니다. 생동감 있는 캐릭터와 대사는 시청자의 관심을 유지하는 데 중요한 역할을 합니다.

세 번째로, 비주얼과 오디오 요소를 고려한 스크립트를 작성해야 합니다. 영상 콘텐츠는 시각적 요소와 청각적 요소가 결합되어야 효과적입니다. 예를 들어, 특정 장면에서 중요한 메시지를 전달할 때, 비주얼 요소와 함께 음향 효과나 배경 음악을 적절히 활용하여 메시지의 강도를 높일 수 있습니다. 스크립트 작성 시 이러한 요소들을 미리 계획하고, 각 장면에 맞는 비주얼과 오디오 요소를 포함시키는 것이 중요합니다.

네 번째로, 간결하고 명확한 표현을 사용해야 합니다. 영상 콘텐츠는 시청자가 짧은 시간 안에 많은 정보를 이해하고 기억해야 하기 때문에, 간결하고 명확한 표현이 필요합니다. 예를 들어, 복잡한 개념이나 정보를 간단한 단어와 문장으로 설명하고, 시청자가 쉽게 이해할 수 있도록 도와야 합니다. 불필요한 설명을 피하고, 핵심 메시지를 명확하게 전달하는 것이 중요합니다.

마지막으로, 시청자의 참여를 유도하는 요소를 포함해야 합니다. 영상의 마지막 부분에 시청자가 행동을 취하도록 유도하는 콜 투 액션(Call to Action)을 포함시키는 것이 효과적입니다. 예를 들어, "좋아요를 눌러주세요", "댓글을 남겨주세요", "채널을 구독하세요"와 같은 콜 투 액션은 시청자가 영상에 적극적으로 참여하게 만듭니다. 시청자의 참여는 영상의 성공을 평가하는 중요한 지표이므로, 이를 유도하는 요소를 스크립트에 포함시키는 것이 중요합니다.

AI를 활용한 스크립트 작성

AI는 스크립트 작성 과정에서 유용한 도구로 활용될 수 있습니다. 첫 번째로, AI는 자동화된 아이디어 생성에 도움을 줄 수 있습니다. AI 기반 도구는 주제나 키워드를 입력하면 관련 아이디어와 스토리라인을 자동으로 생성해 줍니다. 예를 들어, AI 도구인 ChatGPT는 사용자가 입력한 주제를 바탕으로 다양한 스크립트 아이디어를 제공할 수 있습니다. 이러한 아이디어는 스크립트 작가가 창의적인 과정을 촉진하는 데 유용합니다.

두 번째로, AI는 스크립트의 구조와 내용을 최적화하는 데 도움을 줄 수 있습니다. AI는 대규모 데이터 분석을 통해 어떤 구조와 내용이 가장 효과적인지를 파악할 수 있습니다. 예를 들어, AI는 성공적인 스크립트와 그렇지 않은 스크립트의 차이점을 분석하여, 어떤 요소가 시청자의 관심을 끌고 유지하는 데 중요한지를 파악할 수 있습니다. 이를 바탕으로 AI는 최적화된 스크립트 구조와 내용을 제안할 수 있습니다.

세 번째로, AI는 대사 작성에 유용할 수 있습니다. 자연어 처리(NLP) 기술을 활용한 AI는 현실감 있고 자연스러운 대사를 자동으로 생성할 수 있습니다. 예를 들어, AI 도구는 주어진 상황과 캐릭터 설정에 맞는 대사를 생성하여, 작가가 대사 작성에 소요되는 시간을 절약할 수 있게 합니다. AI는 다양한 대사 스타일을 시도하고, 최적의 대사를 선택하는 데 도움을 줄 수 있습니다.

네 번째로, AI는 번역과 현지화 작업을 지원할 수 있습니다. 글로벌 시청자를 대상으로 한 영상 콘텐츠는 다양한 언어로 번역되고 현지화될 필요가 있습니다. AI 기반 번역 도구는 다양한 언어로 신속하고 정확하게 스크립트를 번역할 수 있으며, 현지화된 표현을 제안할 수 있습니다. 예를 들어, 구글 번역이나 딥엘(DeepL)과 같은 도구는 다국어 번역을 신속하게 처리하여, 현지 시청자에게 맞춤형 콘텐츠를 제공할 수 있게 합니다.

마지막으로, AI는 피드백 분석과 성과 측정을 통해 스크립트를 개선하는 데 도움을 줄 수 있습니다. AI는 시청자의 피드백과 반응 데이터를 분석하여, 어떤 부분이 효과적이었고 어떤 부분이 개선이 필요한지를 파악할 수 있습니다. 예를 들어, 시청자의 댓글, 조회수, 참여율 등을 분석하여, 스크립트의 강점과 약점을 식별할 수 있습니다. 이를 바탕으로 AI는 스크립트의 지속적인 개선을 지원할 수 있습니다.

리뷰와 평가

리뷰 글쓰기의 요령

리뷰 글쓰기는 특정 제품, 서비스, 콘텐츠에 대한 평가와 의견을 제공하는 중요한 글쓰기 형태입니다. 첫 번째로, 리뷰 글쓰기는 객관성과 공정성을 유지해야 합니다. 리뷰어는 자신의 경험을 바탕으로 솔직한 평가를 제공해야 하며, 주관적인 감정이나 편견을 배제해야 합니다. 예를 들어, 특정 제품의 장단점을 객관적으로 분석하고, 구체적인 사례와 데이터를 통해 평가를 뒷받침해야 합니다. 객관성과 공정성은 독자가 리뷰를 신뢰하고 참고할 수 있게 하는 중요한 요소입니다.

두 번째로, 리뷰 글쓰기는 명확하고 간결한 표현을 사용해야 합니다. 독자는 리뷰를 통해 빠르게 정보를 얻고, 결정을 내리고자 합니다. 따라서 리뷰는 핵심 정보를 명확하게 전달하고, 불필요한 설명을 피해야 합니다. 예를 들어, 제품의 주요 기능, 사용 경험, 장단점 등을 간결하게 요약하여 독자가 쉽게 이해할 수 있도록 해야 합니다. 명확하고 간결한 표현은 독자의 이해를 돕고, 리뷰의 효과를 극대화하는 데 중요합니다.

세 번째로, 리뷰 글쓰기는 독자의 관심을 끌고 유지하는 흥미로운 요소를 포함해야 합니다. 예를 들어, 개인적인 경험담, 재미있는 에피소드, 독특한 관점을 포함하여 독자의 관심을 끌 수 있습니다. 또한, 비주얼 요소를 포함하여 리뷰의 가독성을 높일 수 있습니다. 예를 들어, 제품 사진, 사용 동영상, 그래픽 등을 활용하여 리뷰의 내용을 시각적으로 보강할 수 있습니다. 흥미로운 요소는 독자가 리뷰를 끝까지 읽도록 유도하는 데 효과적입니다.

네 번째로, 리뷰 글쓰기는 구체적이고 실용적인 정보를 제공해야 합니다. 독자는 리뷰를 통해 제품이나 서비스에 대한 구체적인 정보를 얻고, 자신의 결정에 참고하고자 합니다. 예를 들어, 제품의 성능, 가격, 품질, 사용 방법 등에 대한 구체적인 정보를 제공하고, 이를 통해 독자가 제품을 선택하는 데 도움을 줄 수 있습니다. 실용적인 정보는 리뷰의 가치를 높이고, 독자의 만족도를 증가시키는 데 중요합니다.

마지막으로, 리뷰 글쓰기는 피드백을 수용하고, 지속적으로 개선하는 자세가 필요합니다. 독자들은 리뷰에 대해 다양한 의견을 제시할 수 있으며, 이를 통해 리뷰어는 자신의 글쓰기를 개선할 수 있습니다. 예를 들어, 독자의 피드백을 반영하여 리뷰의 구조를 수정하거나, 추가적인 정보를 제공할 수 있습니다. 피드백을 수용하고 개선하는 자세는 리뷰어로서의 신뢰도를 높이고, 더 나은 리뷰를 작성하는 데 중요한 역할을 합니다.

평가와 피드백 작성

평가와 피드백 작성은 글쓰기와 소통에서 중요한 요소입니다. 첫 번째로, 평가와 피드백은 구체적이어야 합니다. 구체적인 평가와 피드백은 피드백을 받는 사람이 무엇을 잘했으며, 무엇을 개선해야 하는지를 명확하게 이해할 수 있도록 돕습니다. 예를 들어, "좋은 글입니다"라는 피드백보다는 "이 글의 도입부가 독자의 관심을 끌기에 매우 효과적입니다"라는 구체적인 피드백이 더 유용합니다. 구체적인 피드백은 피드백의 효과를 높이고, 수용자의 이해를 돕습니다.

두 번째로, 평가와 피드백은 균형 잡힌 시각을 유지해야 합니다. 긍정적인 점과 개선이 필요한 점을 균형 있게 제시하는 것이 중요합니다. 예를 들어, "이 글의 구조는 매우 명확합니다. 그러나 결론 부분에서 더 구체적인 예시를 추가하면 좋겠습니다"라는 식으로 긍정적인 점과 개선점을 함께 제시할 수 있습니다. 균형 잡힌 피드백은 수용자가 피드백을 더 쉽게 받아들이고, 실제로 개선에 활용할 수 있게 합니다.

세 번째로, 평가와 피드백은 건설적이어야 합니다. 비판적인 피드백이라도 수용자가 이를 통해 성장할 수 있도록 건설적인 방식으로 제시해야 합니다. 예를 들어, "이 부분은 이해하기 어렵습니다"라는 비판 대신 "이 부분을 더 명확하게 설명하면 독자가 이해하기 쉬울 것입니다"라는 건설적인 피드백이 더 효과적입니다. 건설적인 피드백은 수용자가 피드백을 긍정적으로 받아들이고, 개선에 활용할 수 있게 합니다.

네 번째로, 평가와 피드백은 적시에 제공되어야 합니다. 적시에 제공된 피드백은 수용자가 피드백을 바로 반영하여 개선할 수 있도록 돕습니다. 예를 들어, 프로젝트 진행 중에 피드백을 제공하면, 수용자가 즉시 피드백을 반영하여 프로젝트의 질을 높일 수 있습니다. 적시의 피드백은 피드백의 효과를 극대화하고, 수용자가 더 빠르게 개선할 수 있게 합니다.

마지막으로, 평가와 피드백은 수용자의 입장을 고려해야 합니다. 피드백을 제공할 때는 수용자의 상황과 감정을 고려하여 신중하게 표현해야 합니다. 예를 들어, 피드백을 제공할 때 수용자가 자존심을 상하지 않도록 존중하는 태도로 접근하는 것이 중요합니다.

수용자의 입장을 고려한 피드백은 피드백을 더 효과적으로 전달하고, 긍정적인 변화를 이끌어내는 데 도움이 됩니다.

AI를 활용한 리뷰 작성

AI를 활용한 리뷰 작성은 현대 글쓰기에서 점점 더 중요한 역할을 하고 있습니다. 첫 번째로, AI는 리뷰 작성 과정을 자동화하여 시간과 노력을 절약할 수 있습니다. AI 기반 도구는 제품이나 서비스에 대한 정보를 분석하고, 이를 바탕으로 자동으로 리뷰를 작성할 수 있습니다. 예를 들어, AI 도구인 GPT-3는 제품의 특징과 사용자 피드백을 분석하여, 간결하고 명확한 리뷰를 자동으로 생성할 수 있습니다. 자동화된 리뷰 작성은 효율성을 높이고, 리뷰 작성에 소요되는 시간을 크게 줄여줍니다.

두 번째로, AI는 리뷰의 품질을 향상시키는 데 도움을 줄 수 있습니다. AI는 대규모 데이터 분석을 통해 효과적인 리뷰 작성 방법을 학습하고, 이를 바탕으로 더 나은 리뷰를 생성할 수 있습니다. 예를 들어, AI는 긍정적인 피드백과 부정적인 피드백의 균형을 맞추고, 구체적이고 실용적인 정보를 포함한 리뷰를 작성할 수 있습니다. 이는 독자가 리뷰를 더 신뢰하고, 유용하게 사용할 수 있도록 합니다.

세 번째로, AI는 리뷰 작성에서 객관성을 유지하는 데 도움을 줄 수 있습니다. AI는 주관적인 감정이나 편견을 배제하고, 객관적인 데이터를 바탕으로 리뷰를 작성할 수 있습니다. 예를 들어, AI는 제품의 성능, 가격, 사용자 피드백 등을 객관적으로 분석하여,

공정한 평가를 제공할 수 있습니다. 객관성은 리뷰의 신뢰성을 높이고, 독자가 리뷰를 신뢰하고 참고할 수 있게 하는 중요한 요소입니다.

네 번째로, AI는 다국어 리뷰 작성과 번역을 지원할 수 있습니다. 글로벌 시장을 대상으로 하는 경우, 다양한 언어로 리뷰를 작성하고 번역하는 것이 필요합니다. AI 기반 번역 도구는 신속하고 정확하게 리뷰를 번역하여, 다양한 언어로 제공할 수 있습니다. 예를 들어, 구글 번역이나 딥엘(DeepL)과 같은 도구는 다국어 번역을 빠르게 처리하여, 글로벌 독자에게 맞춤형 리뷰를 제공할 수 있게 합니다.

마지막으로, AI는 지속적인 리뷰 개선과 학습을 지원할 수 있습니다. AI는 사용자 피드백과 데이터를 분석하여, 리뷰 작성의 강점과 약점을 식별하고, 이를 바탕으로 지속적으로 개선할 수 있습니다. 예를 들어, AI는 특정 유형의 리뷰가 더 높은 참여율과 만족도를 기록했는지 분석하고, 이러한 유형의 리뷰를 더 많이 생성하도록 학습할 수 있습니다. 지속적인 개선은 리뷰의 품질을 높이고, 독자의 만족도를 증가시키는 데 중요한 역할을 합니다.

제8장 　 # 학습과 성장

성공적인 성장과 실패 극복은 목표 설정, 계획 수립, 긍정 사고와 지속적인 학습을 필요로 하며, 실패는 성장의 기회로 변환될 수 있습니다.

지속적인 학습의 중요성

학습의 필요성과 전략

지속적인 학습은 현대 사회에서 성공과 성장을 위한 필수 요소입니다. 첫 번째로, 급변하는 환경에서 지속적인 학습은 필수적입니다. 기술의 발전과 시장의 변화가 빠르게 진행되면서, 새로운 지식과 기술을 습득하는 것은 개인과 기업 모두에게 중요합니다. 예를 들어, 디지털 마케팅 분야에서는 매년 새로운 도구와 플랫폼이 등장하므로, 최신 트렌드를 따라잡기 위해 지속적인 학습이 필요합니다. 학습을 통해 변화에 적응하고, 경쟁력을 유지할 수 있습니다.

두 번째로, 지속적인 학습은 개인의 전문성을 강화하는 데 기여합니다. 특정 분야에서 전문성을 갖추기 위해서는 끊임없는 공부와 실습이 필요합니다. 예를 들어, 의료 분야의 전문가는 새로운 치료법과 약물을 학습해야 하며, 법률 전문가 역시 최신 법률 개정 사항을 지속적으로 공부해야 합니다. 이러한 학습은 전문가로서의 신뢰성을 높이고, 더 나은 성과를 이끌어내는 데 도움을 줍니다. 전문성을 강화하는 학습은 커리어 발전의 핵심 요소입니다.

세 번째로, 학습 전략을 잘 세우는 것이 중요합니다. 효과적인 학습 전략은 목표 설정, 시간 관리, 학습 자료 선정 등을 포함합니다. 예를 들어, SMART 목표 설정법(Specific, Measurable, Achievable, Relevant, Time-bound)을 통해 구체적이고 달성 가능한 학습 목표를 세울 수 있습니다. 또한, 학습 시간을 일상적인 일정에 포함시키고, 신뢰할 수 있는 자료와 도구를 활용하는 것이 중요합니다. 체계적인 학습 전략은 학습의 효율성을 높이고, 목표 달성에 도움을 줍니다.

네 번째로, 학습의 필요성을 인식하고 동기부여를 유지하는 것이 중요합니다. 학습의 필요성을 인식하면, 학습에 대한 열정과 동기부여를 유지하기 쉽습니다. 예를 들어, 새로운 기술을 학습함으로써 더 나은 직무 기회를 얻거나, 개인적인 성장과 만족을 경험할 수 있습니다. 이러한 긍정적인 결과를 기대하면서 학습에 대한 동기부여를 유지하는 것이 중요합니다. 동기부여는 학습의 지속성을 보장하고, 학습 목표를 달성하는 데 중요한 역할을 합니다.

마지막으로, 학습 커뮤니티에 참여하는 것이 효과적입니다. 학습 커뮤니티는 비슷한 목표를 가진 사람들과 정보를 공유하고, 상호 지원을 받을 수 있는 공간입니다. 예를 들어, 온라인 포럼, 스터디 그룹, 전문 네트워크 등에 참여하여 다른 사람들과 경험을 나누고, 서로의 학습을 지원할 수 있습니다. 학습 커뮤니티는 학습 동기를 강화하고, 더 풍부한 학습 경험을 제공하는 데 도움을 줍니다.

글쓰기 능력 향상 방법

글쓰기 능력을 향상시키기 위해서는 체계적인 연습과 전략이 필요합니다. 첫 번째로, 정기적인 글쓰기 연습이 중요합니다. 글쓰기는 꾸준한 연습을 통해 개선될 수 있는 기술입니다. 예를 들어, 매일 일기를 쓰거나, 블로그를 운영하며 자신의 생각을 글로 표현하는 연습을 할 수 있습니다. 이러한 연습은 글쓰기의 유창성을 높이고, 아이디어를 구조화하는 능력을 향상시킵니다. 정기적인 글쓰기 연습은 글쓰기 능력을 지속적으로 발전시키는 데 필수적입니다.

두 번째로, 피드백을 적극적으로 수용하는 것이 중요합니다. 글쓰기 능력을 향상시키기 위해서는 다른 사람의 피드백을 통해 자신의 글을 객관적으로 평가하고, 개선점을 찾는 것이 필요합니다. 예를 들어, 글을 작성한 후 동료나 전문가에게 리뷰를 요청하고, 피드백을 바탕으로 수정하는 과정을 거칠 수 있습니다. 피드백은 글의 강점과 약점을 파악하고, 글을 더 명확하고 효과적으로 만드는 데 도움이 됩니다. 피드백을 수용하고 개선하는 과정은 글쓰기 능력 향상의 중요한 요소입니다.

세 번째로, 다양한 글쓰기 스타일을 학습하고 시도해보는 것이 중요합니다. 글쓰기는 목적과 독자에 따라 다양한 스타일이 필요합니다. 예를 들어, 학술 논문, 비즈니스 보고서, 창의적인 에세이 등 각각의 글쓰기 스타일을 학습하고, 이를 실제로 작성해보는 연습이 필요합니다. 다양한 스타일의 글쓰기를 경험함으로써, 상황에 맞는 글을 효과적으로 작성할 수 있는 능력을 기를 수 있습니다. 글쓰기 스타일의 다양성을 학습하는 것은 글쓰기 능력을 넓히는 데 중요한 역할을 합니다.

네 번째로, 독서를 통한 학습이 중요합니다. 다양한 장르와 스타일의 책을 읽음으로써, 글쓰기의 다양한 기법과 표현 방식을 배울 수 있습니다. 예를 들어, 문학 작품을 통해 창의적인 표현과 서사 구조를 배우고, 비즈니스 서적을 통해 논리적인 글쓰기와 명확한 표현을 학습할 수 있습니다. 독서는 글쓰기 능력을 향상시키는 데 있어 풍부한 자원과 영감을 제공합니다. 독서를 통한 학습은 글쓰기의 깊이와 넓이를 확장하는 데 도움이 됩니다.

마지막으로, 전문적인 글쓰기 워크숍이나 강좌에 참여하는 것이 효과적입니다. 전문적인 교육 프로그램은 체계적인 커리큘럼과 전문가의 지도를 통해 글쓰기 능력을 집중적으로 향상시킬 수 있는 기회를 제공합니다. 예를 들어, 대학의 글쓰기 강좌나 온라인 글쓰기 워크숍에 참여하여, 체계적인 교육과 실습을 받을 수 있습니다. 전문적인 교육 프로그램은 글쓰기 능력을 체계적으로 발전시키는 데 중요한 도구입니다.

학습 자원과 도구들

효과적인 학습을 위해 다양한 자원과 도구를 활용하는 것이 중요합니다. 첫 번째로, 온라인 학습 플랫폼은 학습 자원으로 유용합니다. Coursera, edX, Udemy와 같은 플랫폼은 다양한 주제와 수준의 강좌를 제공합니다. 예를 들어, Coursera에서는 글쓰기 기초부터 고급 글쓰기 기법까지 다양한 코스를 수강할 수 있습니다. 이러한 플랫폼은 시간과 장소에 구애받지 않고 학습할 수 있는 유연성을 제공하며, 전문 강사들의 지도를 받을 수 있는 기회를 제공합니다.

두 번째로, 도서와 전자책은 중요한 학습 자원입니다. 다양한 주제에 대한 깊이 있는 지식을 제공하는 도서와 전자책은 학습의 폭을 넓히는 데 도움이 됩니다. 예를 들어, 스티븐 킹의 '유혹하는 글쓰기'는 글쓰기 기술과 창의적인 과정에 대한 통찰을 제공하며, 많은 작가들에게 영감을 줍니다. 전자책은 이동 중에도 학습할 수 있는 편리함을 제공하며, 다양한 디바이스에서 접근할 수 있는 장점을 가지고 있습니다.

세 번째로, 학습 앱과 소프트웨어는 학습 과정을 지원하는 중요한 도구입니다. 예를 들어, Anki와 같은 플래시카드 앱은 반복 학습을 통해 지식을 효과적으로 암기할 수 있도록 도와줍니다. 또한, Grammarly와 같은 글쓰기 보조 소프트웨어는 문법과 스타일을 자동으로 교정해주어, 글쓰기의 질을 향상시키는 데 도움이 됩니다. 이러한 학습 도구들은 학습 효율성을 높이고, 더 체계적으로 학습할 수 있도록 지원합니다.

네 번째로, 학습 커뮤니티와 포럼은 상호 학습과 지원을 받을 수 있는 중요한 자원입니다. Reddit, Stack Exchange, Quora와 같은 온라인 포럼은 특정 주제에 대한 질문과 답변을 통해 지식을 공유하고, 상호 학습할 수 있는 기회를 제공합니다. 예를 들어, Reddit의 '글쓰기' 서브레딧에서는 글쓰기 관련 질문을 하고, 다양한 작가들의 경험과 조언을 들을 수 있습니다. 학습 커뮤니티는 서로의 학습을 지원하고, 새로운 아이디어를 얻는 데 중요한 역할을 합니다.

마지막으로, 오프라인 학습 자원과 네트워크도 중요합니다. 도서관, 스터디 그룹, 워크숍 등은 직접적인 학습과 네트워킹의 기회를 제공합니다. 예를 들어, 지역 도서관에서는 다양한 주제의 도서를 대여할 수 있으며, 독서 모임을 통해 책에 대한 토론과 의견 교환을 할 수 있습니다. 오프라인 학습 자원과 네트워크는 직접적인 상호작용과 경험을 통해 학습을 더욱 풍부하게 만듭니다.

성장 마인드셋

긍정적 사고와 성장

긍정적 사고는 성장 마인드셋의 핵심 요소입니다. 첫 번째로, 긍정적 사고는 도전과 어려움을 기회로 보는 관점을 제공합니다. 도전에 직면했을 때 긍정적인 사고방식을 유지하면, 문제를 해결하고 새로운 기회를 찾는 데 도움이 됩니다. 예를 들어, 새로운 프로젝트에서 실패를 경험했을 때, 이를 성장과 학습의 기회로 받아들이고, 더 나은 방법을 모색할 수 있습니다. 긍정적 사고는 도전과 어려움을 극복하고 성장하는 데 중요한 역할을 합니다.

두 번째로, 긍정적 사고는 자기 효능감을 높입니다. 자기 효능감이란 자신이 목표를 달성할 수 있는 능력이 있다고 믿는 신념을 의미합니다. 긍정적 사고를 유지하면 자신에 대한 믿음이 강화되고, 더 높은 성과를 이끌어낼 수 있습니다. 예를 들어, 어려운 과제를 해결할 때 "나는 할 수 있다"는 긍정적인 믿음을 가지면, 실제로 더 효과적으로 문제를 해결할 가능성이 높아집니다. 자기 효능감은 성공적인 성장과 성취를 위한 중요한 요소입니다.

세 번째로, 긍정적 사고는 스트레스와 불안을 관리하는 데 도움을 줍니다. 긍정적인 사고방식을 통해 스트레스 상황을 더 잘 대처하고, 불안을 감소시킬 수 있습니다. 예를 들어, 중요한 발표를 앞두고 긍정적인 생각을 유지하면, 긴장을 줄이고 더 자신감 있게 발표를 할 수 있습니다. 스트레스와 불안을 관리하는 능력은 건강한 정신 상태를 유지하고, 지속적인 성장을 가능하게 합니다.

네 번째로, 긍정적 사고는 인간관계를 개선하는 데 기여합니다. 긍정적인 태도와 언어는 타인과의 상호작용을 긍정적으로 이끌고, 더 좋은 인간관계를 형성할 수 있습니다. 예를 들어, 협력적인 태도로 팀원들과 소통하면, 팀워크가 향상되고 더 나은 결과를 도출할 수 있습니다. 긍정적인 인간관계는 개인의 성장뿐만 아니라, 조직의 성공에도 중요한 영향을 미칩니다.

마지막으로, 긍정적 사고는 지속적인 동기부여를 제공합니다. 긍정적인 사고는 목표를 향한 열정을 유지하게 하고, 끊임없이 도전하고 성장하도록 이끕니다. 예를 들어, 장기적인 목표를 설정하고 이를 향해 긍정적인 마음가짐으로 노력하면, 목표를 달성하는 데 필요한 동기부여를 지속적으로 유지할 수 있습니다. 긍정적 사고는 지속적인 성장을 가능하게 하는 원동력입니다.

목표 설정과 달성 방법

목표 설정과 달성은 성장 마인드셋의 중요한 부분입니다. 첫 번째로, SMART 목표 설정법을 활용하는 것이 효과적입니다. SMART 목표는 구체적이고(Specific), 측정 가능한(Measurable), 달성 가능한(Achievable), 관련성 있는(Relevant), 기한이 있는(Time-bound) 목표를 의미합니다. 예를 들어, "3개월 내에 매일 30분씩 글쓰기 연습을 하여 블로그 게시물을 10개 작성한다"는 SMART 목표는 구체적이고, 측정 가능하며, 달성 가능하고, 관련성이 있으며, 기한이 명확합니다. SMART 목표 설정은 목표 달성의 명확한 방향을 제시합니다.

두 번째로, 목표를 작은 단계로 나누어 설정하는 것이 중요합니다. 큰 목표를 작고 구체적인 단계로 나누면, 목표 달성 과정을 더 쉽게 관리하고 성취감을 느낄 수 있습니다. 예를 들어, "책 한 권을 출판한다"는 큰 목표를 "주제 선정", "구성 계획", "각 장별 초안 작성" 등으로 나누어 작은 목표로 설정할 수 있습니다. 작은 단계로 나눈 목표는 목표 달성의 진행 상황을 명확히 하고, 동기부여를 유지하는 데 도움이 됩니다.

세 번째로, 목표 달성을 위한 구체적인 계획을 세우는 것이 중요합니다. 목표를 설정한 후, 이를 달성하기 위한 구체적인 행동 계획을 세워야 합니다. 예를 들어, 글쓰기 능력을 향상시키기 위한 목표를 설정했다면, 매일 글쓰기 연습 시간, 참고할 자료, 피드백을 받을 사람 등을 구체적으로 계획할 수 있습니다. 구체적인 계획은 목표 달성의 실행 가능성을 높이고, 체계적으로 목표를 추구할 수 있게 합니다.

네 번째로, 목표 달성 과정을 주기적으로 점검하고 평가하는 것이 필요합니다. 목표를 설정한 후, 주기적으로 목표 달성 과정을 점검하고, 필요한 경우 계획을 조정하는 것이 중요합니다. 예를 들어, 매주 목표 달성 현황을 평가하고, 목표 달성에 어려움이 있다면, 이를 극복하기 위한 추가적인 방법을 모색할 수 있습니다. 주기적인 점검과 평가를 통해 목표 달성의 효과성을 높일 수 있습니다.

마지막으로, 목표 달성에 대한 보상을 설정하는 것이 중요합니다. 목표를 달성했을 때 자신에게 주는 보상은 동기부여를 강화하는 데 효과적입니다. 예를 들어, 특정 목표를 달성한 후 자신에게 작은 선물을 하거나, 휴식을 취하는 시간을 가질 수 있습니다. 보상은 목표 달성의 성취감을 높이고, 지속적인 성장을 위한 동기부여를 제공합니다.

성공적인 성장 사례

성공적인 성장 사례는 긍정적인 사고와 목표 설정, 지속적인 학습의 중요성을 잘 보여줍니다. 첫 번째 사례로, 일론 머스크를 들 수 있습니다. 일론 머스크는 스페이스X, 테슬라, 솔라시티 등을 설립하고, 지속적인 학습과 도전을 통해 성공적인 성장을 이뤄냈습니다. 예를 들어, 스페이스X를 통해 민간 우주 탐사에 도전하며, 로켓 재사용 기술을 개발하여 우주 산업에 혁신을 가져왔습니다. 머스크의 사례는 목표 설정과 지속적인 학습, 긍정적인 사고가 성공적인 성장을 이끄는 데 중요한 요소임을 보여줍니다.

두 번째 사례로, 오프라 윈프리를 들 수 있습니다. 오프라 윈프리는 어려운 환경에서 자라났지만, 긍정적인 사고와 지속적인 학습을 통해 세계적인 방송인이자 사업가로 성장했습니다. 그녀는 자신의 경험을 바탕으로 많은 사람들에게 영감을 주는 이야기를 전하고, 다양한 사회 문제에 대한 관심을 이끌어냈습니다. 예를 들어, 그녀의 토크쇼는 많은 사람들에게 긍정적인 영향을 미치고, 사회적 변화를 촉진하는 플랫폼이 되었습니다. 오프라 윈프리의 사례는 긍정적인 사고와 성장 마인드셋의 힘을 잘 보여줍니다.

세 번째 사례로, 스티브 잡스를 들 수 있습니다. 스티브 잡스는 애플을 공동 창립하고, 혁신적인 제품을 통해 전 세계 기술 산업에 큰 영향을 미쳤습니다. 그는 끊임없는 학습과 도전을 통해 아이폰, 아이패드, 맥북 등 혁신적인 제품을 개발하였으며, 이를 통해 애플을 세계 최고의 기업 중 하나로 성장시켰습니다. 예를 들어, 아이폰의 출시로 스마트폰 시장에 혁신을 가져왔고, 많은 사람들이 스마트폰을 일상적으로 사용하게 되었습니다. 잡스의 사례는 지속적인 학습과 혁신의 중요성을 강조합니다.

네 번째 사례로, 말랄라 유사프자이를 들 수 있습니다. 말랄라는 교육의 중요성을 강조하며, 여성의 교육 권리를 위해 싸워온 인권 운동가입니다. 그녀는 탈레반의 공격을 받고도 교육 운동을 멈추지 않았으며, 노벨 평화상을 수상하며 전 세계에 교육의 중요성을 알렸습니다. 예를 들어, 그녀의 책 '나는 말랄라'는 많은 사람들에게 영감을 주며, 교육의 권리를 위한 움직임에 큰 영향을 미쳤습니다. 말랄라의 사례는 목표 설정과 긍정적인 사고, 지속적인 노력이 어떻게 큰 변화를 이끌어낼 수 있는지를 보여줍니다.

마지막으로, 제프 베조스를 들 수 있습니다. 제프 베조스는 아마존을 창립하고, 전자 상거래 분야에서 혁신을 일으켰습니다. 그는 지속적인 학습과 도전을 통해 아마존을 단순한 온라인 서점에서 세계 최대의 전자 상거래 플랫폼으로 성장시켰습니다. 예를 들어, 아마존 프라임, AWS(아마존 웹 서비스) 등 다양한 서비스를 도입하여, 전 세계 수백만 명의 고객에게 서비스를 제공하고 있습니다. 베조스의 사례는 목표 설정과 지속적인 혁신, 학습이 성공적인 성장을 이끄는 중요한 요소임을 보여줍니다.

실패와 극복

실패의 가치와 교훈

실패는 성장과 학습의 중요한 부분입니다. 첫 번째로, 실패는 귀중한 교훈을 제공합니다. 실패를 통해 우리는 무엇이 잘못되었는지, 어떤 부분을 개선해야 하는지 배울 수 있습니다. 예를 들어, 특정 프로젝트에서 실패했을 때, 그 이유를 분석하고 개선점을 찾으면 다음 번에는 더 나은 결과를 도출할 수 있습니다. 실패는 우리가 더 나은 결정을 내리고, 더 효과적인 전략을 개발하는 데 중요한 교훈을 제공합니다.

두 번째로, 실패는 강력한 동기부여가 될 수 있습니다. 실패를 경험하면, 우리는 더 나은 결과를 얻기 위해 더욱 열심히 노력하게 됩니다. 예를 들어, 시험에서 낙제한 학생이 더 열심히 공부하여 다음 시험에서 높은 점수를 받는 경우처럼, 실패는 우리의 열정을 불러일으키고, 더 높은 목표를 향해 나아가게 만듭니다. 실패는 동기부여의 중요한 원천이며, 우리의 의지와 결단력을 강화합니다.

세 번째로, 실패는 창의성과 혁신을 촉진합니다. 실패를 통해 우리는 새로운 접근 방식과 아이디어를 시도하게 됩니다. 예를 들어, 애디슨이 전구를 발명할 때 수많은 실패를 경험했지만, 이를 통해 최종적으로 성공적인 발명을 이뤄낼 수 있었습니다. 실패는 우리가 기존의 방식을 재고하고, 창의적인 해결책을 찾도록 도와줍니다. 창의성과 혁신은 실패를 극복하고 새로운 성과를 이루는 데 중요한 요소입니다.

네 번째로, 실패는 인내와 회복탄력성을 기르는 데 도움이 됩니다. 실패를 경험하면, 우리는 더 강해지고, 더 많은 어려움을 극복할 수 있는 능력을 기르게 됩니다. 예를 들어, 스포츠 선수는 경기에서의 패배를 통해 더 열심히 훈련하고, 더 강한 정신력을 기르게 됩니다. 인내와 회복탄력성은 우리가 실패를 극복하고, 더 높은 성과를 이루는 데 중요한 역할을 합니다.

마지막으로, 실패는 우리의 한계를 확장시키는 기회를 제공합니다. 실패를 통해 우리는 자신의 한계를 인식하고, 이를 넘어설 수 있는 방법을 찾게 됩니다. 예를 들어, 새로운 사업을 시작할 때 초기 실패를 경험하면, 이를 통해 더 나은 전략과 계획을 세워 성공을 이룰 수 있습니다. 실패는 우리의 능력과 가능성을 확장시키는 중요한 기회입니다.

극복 전략과 방법

실패를 극복하는 데에는 효과적인 전략과 방법이 필요합니다. 첫 번째로, 실패를 받아들이고 긍정적으로 해석하는 것이 중요합니다. 실패를 부정적으로만 보지 않고, 이를 학습과 성장의 기회로 받아들여야 합니다. 예를 들어, 실패한 프로젝트를 분석하고, 그 과정에서 얻은 교훈을 바탕으로 새로운 전략을 수립할 수 있습니다. 긍정적인 해석은 실패를 극복하고, 더 나은 결과를 도출하는 데 중요한 역할을 합니다.

두 번째로, 명확한 목표와 계획을 세우는 것이 필요합니다. 실패를 경험한 후, 새로운 목표를 설정하고, 이를 달성하기 위한 구체적인 계획을 세워야 합니다. 예를 들어, 사업 실패를 경험한 후, 시장 분석과 고객 요구 조사를 통해 새로운 비즈니스 계획을 수립할 수 있습니다. 명확한 목표와 계획은 실패를 극복하고, 새로운 성과를 이루는 데 필수적입니다.

세 번째로, 지원 네트워크를 활용하는 것이 중요합니다. 친구, 가족, 동료 등의 지원을 받으면 실패를 극복하는 과정에서 큰 힘이 됩니다. 예를 들어, 동료와의 대화를 통해 새로운 아이디어와 조언을 얻고, 어려운 상황에서 감정적인 지지를 받을 수 있습니다. 지원 네트워크는 실패를 극복하는 데 필요한 힘과 자원을 제공해줍니다.

네 번째로, 지속적인 학습과 자기개발에 집중해야 합니다. 실패를 경험한 후, 새로운 기술과 지식을 습득하여 자신의 능력을 향상시키는 것이 중요합니다. 예를 들어, 실패한 분야에 대한 전문성을 기르기 위해 관련 강좌를 수강하거나, 전문가의 조언을 구할 수 있습니다. 지속적인 학습과 자기개발은 실패를 극복하고, 더 나은 성과를 이루는 데 중요한 요소입니다.

마지막으로, 긍정적인 사고와 인내를 유지하는 것이 중요합니다. 실패를 극복하는 과정에서는 많은 인내와 긍정적인 태도가 필요합니다. 예를 들어, 실패를 경험한 후에도 낙담하지 않고, 끊임없이 노력하고 긍정적인 마음을 유지하면, 결국 성공에 도달할 수 있습니다. 긍정적인 사고와 인내는 실패를 극복하고, 지속적인 성장을 가능하게 하는 중요한 요소입니다.

성공으로 가는 길

성공으로 가는 길은 실패와 극복, 지속적인 학습과 성장을 통해 이루어집니다. 첫 번째로, 실패를 두려워하지 않고 도전하는 자세가 필요합니다. 실패를 두려워하면 새로운 기회를 시도하는 데 주저하게 되고, 성장을 이루기 어렵습니다. 예를 들어, 창업가들은 초기의 실패를 두려워하지 않고 계속 도전하여, 결국 성공적인 기업을 구축할 수 있었습니다. 실패를 두려워하지 않는 도전 정신은 성공으로 가는 중요한 첫걸음입니다.

두 번째로, 실패에서 얻은 교훈을 바탕으로 지속적으로 개선하는 것이 중요합니다. 실패를 통해 얻은 경험과 교훈을 바탕으로 자신의 전략과 접근 방식을 개선하면, 더 나은 결과를 얻을 수 있습니다. 예를 들어, 스포츠 선수는 경기에서의 실패를 분석하고, 훈련 방법과 전략을 조정하여 다음 경기에서 더 나은 성과를 이룰 수 있습니다. 지속적인 개선은 성공으로 가는 길에서 중요한 요소입니다.

세 번째로, 명확한 목표와 계획을 가지고 일관되게 노력하는 것이 필요합니다. 성공을 이루기 위해서는 명확한 목표를 설정하고, 이를 달성하기 위한 구체적인 계획을 세워 꾸준히 노력해야 합니다. 예를 들어, 특정 분야에서 전문가가 되기 위해 필요한 목표와 단계를 설정하고, 이를 일관되게 실천하는 것이 중요합니다. 명확한 목표와 계획은 성공으로 가는 길을 명확히 하고, 필요한 동기부여를 제공합니다.

네 번째로, 지원 네트워크와 협력하는 것이 중요합니다. 성공적인 사람들은 혼자서 모든 것을 이루기보다는, 다른 사람들과 협력하고 도움을 받으며 목표를 달성합니다. 예를 들어, 기업가는 팀원들과의 협력을 통해 사업을 성장시키고, 전문가의 조언을 통해 더 나은 결정을 내릴 수 있습니다. 지원 네트워크와 협력은 성공으로 가는 길에서 중요한 자원과 지원을 제공합니다.

마지막으로, 긍정적인 사고와 인내를 유지하는 것이 성공의 열쇠입니다. 성공을 이루기까지는 많은 도전과 어려움이 따르기 마련이며, 이를 극복하기 위해서는 긍정적인 사고와 인내가 필요합니다. 예를 들어, 장기적인 목표를 향해 끊임없이 노력하고, 어려움 속에서도 긍정적인 태도를 유지하면, 결국 성공에 도달할 수 있습니다. 긍정적인 사고와 인내는 성공으로 가는 길에서 가장 중요한 요소입니다.

제 9 장

기술적 글쓰기

AI는 매뉴얼과 보고서 작성을 자동화하고 품질을 향상시키는 등의 방법으로 작성 과정을 효율적으로 만드는 데 중요한 역할을 합니다.

기술 문서 작성

기술 문서의 중요성

기술 문서는 복잡한 기술 정보를 명확하고 이해하기 쉽게 전달하는 데 필수적입니다. 첫 번째로, 기술 문서는 사용자와 개발자 간의 원활한 소통을 가능하게 합니다. 예를 들어, 소프트웨어 개발자는 사용자 매뉴얼을 통해 프로그램의 사용 방법과 기능을 설명할 수 있습니다. 이를 통해 사용자는 소프트웨어를 효과적으로 활용할 수 있으며, 개발자는 사용자의 요구와 피드백을 정확히 이해할 수 있습니다. 기술 문서는 소통의 도구로서 중요한 역할을 합니다.

두 번째로, 기술 문서는 제품의 신뢰성과 안전성을 보장합니다. 예를 들어, 의료 기기나 자동차와 같은 복잡한 제품은 정확한 사용 지침과 안전 규정이 포함된 기술 문서를 필요로 합니다. 이러한 문서는 사용자가 제품을 안전하게 사용할 수 있도록 안내하며, 불필요한 사고나 오작동을 예방하는 데 기여합니다. 기술 문서는 제품의 신뢰성과 안전성을 유지하는 데 필수적입니다.

세 번째로, 기술 문서는 지식과 정보를 체계적으로 저장하고 전달하는 데 도움이 됩니다. 예를 들어, 기업의 내부 문서나 기술 보고서는 직원들이 필요한 정보를 빠르게 찾고 활용할 수 있도록 체계적으로 정리되어야 합니다. 이는 업무 효율성을 높이고, 지식의 공유와 전수를 촉진하는 데 중요합니다. 기술 문서는 조직 내 지식 관리와 정보 전달의 핵심 도구입니다.

네 번째로, 기술 문서는 법적 및 규제 요구 사항을 준수하는 데 중요한 역할을 합니다. 예를 들어, 특정 산업에서는 제품 출시 전에 기술 문서가 법적 검토와 승인을 받아야 하는 경우가 많습니다. 이러한 문서는 제품의 규격, 성능, 안전성 등을 명확히 기술하여 법적 요구 사항을 충족시킵니다. 기술 문서는 법적 및 규제 요구 사항 준수를 보장하는 중요한 문서입니다.

마지막으로, 기술 문서는 제품의 수명 주기 동안 지속적인 유지보수와 업그레이드를 지원합니다. 예를 들어, 기술 문서에는 제품의 유지보수 절차, 부품 교체 방법, 업그레이드 지침 등이 포함됩니다. 이러한 정보는 사용자가 제품을 오랫동안 효과적으로 사용할 수 있도록 도와줍니다. 기술 문서는 제품의 지속적인 관리와 개선을 지원하는 중요한 도구입니다.

작성 기법과 전략

기술 문서를 효과적으로 작성하기 위해서는 몇 가지 중요한 기법과 전략이 필요합니다. 첫 번째로, 명확하고 간결한 언어를 사용하는 것이 중요합니다. 기술 문서는 복잡한 정보를 전달하기 때문에, 이해하기 쉬운 언어와 간결한 문장을 사용하는 것이 필요합니다. 예를 들어, 기술 용어를 사용할 때는 간단한 설명을 덧붙이고, 긴 문장은 짧게 나누어 작성합니다. 명확하고 간결한 언어는 독자가 기술 문서를 쉽게 이해할 수 있도록 돕습니다.

두 번째로, 체계적인 구조를 갖추는 것이 필요합니다. 기술 문서는 논리적이고 일관된 구조를 가지고 있어야 합니다. 예를 들어, 서론, 본론, 결론의 순서로 문서를 구성하고, 각 섹션은 소제목을 통해 명확히 구분합니다. 이러한 구조는 독자가 문서의 내용을 쉽게 따라가고, 필요한 정보를 빠르게 찾을 수 있도록 합니다. 체계적인 구조는 기술 문서의 가독성을 높이는 데 중요합니다.

세 번째로, 시각적 요소를 활용하는 것이 효과적입니다. 다이어그램, 차트, 표 등 시각적 요소를 포함하면 복잡한 정보를 더 쉽게 전달할 수 있습니다. 예를 들어, 제품의 작동 원리를 설명할 때 다이어그램을 사용하면 텍스트만으로 설명하는 것보다 이해하기 쉬워집니다. 시각적 요소는 독자의 이해를 돕고, 문서의 흥미를 높이는 데 유용합니다.

네 번째로, 독자의 입장을 고려한 작성이 필요합니다. 기술 문서는 주로 특정한 기술 지식을 가진 독자를 대상으로 작성되지만, 다양한 배경을 가진 독자가 있을 수 있습니다. 따라서, 독자의 지식 수준과 요구 사항을 고려하여 문서를 작성하는 것이 중요합니다. 예를 들어, 기본적인 개념부터 설명하고, 단계별로 복잡한 내용을 소개하는 접근 방식이 효과적입니다. 독자의 입장을 고려한 작성은 문서의 효과성을 높입니다.

마지막으로, 검토와 피드백 과정을 거치는 것이 중요합니다. 기술 문서는 정확성과 신뢰성이 중요하기 때문에, 작성 후에는 반드시 검토와 피드백 과정을 거쳐야 합니다. 예를 들어, 동료나 전문가의 리뷰를 통해 오류를 수정하고, 내용을 보완할 수 있습니다. 검토와 피드백은 기술 문서의 품질을 보장하는 중요한 단계입니다.

AI를 활용한 기술 문서 작성

AI는 기술 문서 작성 과정을 혁신적으로 변화시킬 수 있습니다. 첫 번째로, AI는 자동화된 문서 생성을 통해 시간과 노력을 절약할 수 있습니다. 예를 들어, AI 기반 도구는 주어진 데이터를 분석하고, 이를 바탕으로 기술 문서를 자동으로 생성할 수 있습니다. 이는 문서 작성에 소요되는 시간을 크게 줄이고, 작성자의 부담을 덜어줍니다. 자동화된 문서 생성은 효율성을 높이는 데 중요한 역할을 합니다.

두 번째로, AI는 문서의 정확성과 일관성을 유지하는 데 도움을 줄 수 있습니다. AI는 문서 내의 용어 사용, 형식, 스타일 등을 일관되게 유지하며, 오류를 자동으로 감지하고 수정할 수 있습니다. 예를 들어, Grammarly와 같은 AI 도구는 문법 오류를 교정하고, 스타일 가이드를 준수하도록 도와줍니다. AI를 활용한 문서 작성은 정확성과 일관성을 보장합니다.

세 번째로, AI는 번역과 현지화 작업을 지원할 수 있습니다. 글로벌 시장을 대상으로 하는 기술 문서는 다양한 언어로 번역되고 현지화되어야 합니다. AI 기반 번역 도구는 신속하고 정확하게 문서를 번역할 수 있으며, 현지화된 표현을 제공하여 각국의 독자에게 맞춤형 정보를 제공할 수 있습니다. 예를 들어, 구글 번역이나 딥엘(DeepL)과 같은 도구는 다국어 번역을 빠르게 처리하여, 글로벌 독자에게 맞춤형 기술 문서를 제공할 수 있게 합니다.

네 번째로, AI는 문서 작성 과정을 지원하는 도구로 활용될 수 있습니다. 예를 들어, GPT-3와 같은 언어 모델은 사용자의 입력 데이터를 바탕으로 문서 작성에 필요한 아이디어와 구문을 자동으로 생성할 수 있습니다. 이는 작성자가 더 쉽게 문서를 작성하고, 필요한 정보를 빠르게 찾을 수 있도록 도와줍니다. AI 기반 도구는 문서 작성 과정을 지원하는 중요한 역할을 합니다.

마지막으로, AI는 지속적인 개선과 학습을 통해 문서 작성의 품질을 향상시킬 수 있습니다. AI는 사용자 피드백과 데이터를 분석하여, 문서 작성의 강점과 약점을 식별하고, 이를 바탕으로 지속적으로 개선할 수 있습니다. 예를 들어, AI는 특정 유형의 문서가 더 높은 참여율과 만족도를 기록했는지 분석하고, 이러한 유형의 문서를 더 많이 생성하도록 학습할 수 있습니다. AI를 활용한 지속적인 개선은 기술 문서 작성의 품질을 높이는 중요한 요소입니다.

매뉴얼과 가이드 작성

매뉴얼 작성 요령

매뉴얼 작성은 사용자가 제품이나 서비스를 효과적으로 사용할 수 있도록 돕는 중요한 작업입니다. 첫 번째로, 매뉴얼은 사용자가 쉽게 이해할 수 있도록 명확하고 간결하게 작성되어야 합니다. 예를 들어, 복잡한 기술 용어를 피하고, 간단한 언어로 설명하는 것이 중요합니다. 각 단계는 명확하게 구분되어야 하며, 독자가 쉽게 따라할 수 있도록 단계별로 나누어 작성해야 합니다. 명확하고 간결한 매뉴얼은 사용자의 이해도를 높이고, 제품 사용을 원활하게 합니다.

두 번째로, 매뉴얼에는 시각적 요소를 포함하는 것이 효과적입니다. 다이어그램, 사진, 일러스트레이션 등을 활용하면 텍스트만으로 전달하기 어려운 정보를 쉽게 설명할 수 있습니다. 예를 들어, 제품 조립 매뉴얼에서는 각 단계별로 조립 과정을 보여주는 일러스트레이션이 포함되어 있으면, 사용자가 더 쉽게 조립 과정을 이해할 수 있습니다. 시각적 요소는 매뉴얼의 가독성과 이해도를 높이는 데 중요한 역할을 합니다.

세 번째로, 매뉴얼은 논리적이고 일관된 구조를 가져야 합니다. 일반적으로 매뉴얼은 서론, 본론, 결론의 순서로 구성되며, 각 섹션은 명확한 소제목을 통해 구분됩니다. 예를 들어, 서론에서는 제품의 개요와 목적을 설명하고, 본론에서는 사용 방법과 절차를 상세히 설명하며, 결론에서는 주의 사항과 추가 정보를 제공할 수 있습니다. 논리적이고 일관된 구조는 사용자가 매뉴얼을 따라가기 쉽게 만듭니다.

네 번째로, 매뉴얼에는 사용자의 질문과 문제를 예상하고 이를 해결하는 정보를 포함하는 것이 필요합니다. 예를 들어, 자주 묻는 질문(FAQ) 섹션을 추가하여 사용자가 흔히 겪는 문제와 그 해결 방법을 제공할 수 있습니다. 이는 사용자가 문제를 신속하게 해결하고, 제품을 효과적으로 사용할 수 있도록 도와줍니다. 문제 해결 정보는 매뉴얼의 실용성을 높이는 중요한 요소입니다.

마지막으로, 매뉴얼은 사용자의 피드백을 반영하여 지속적으로 업데이트되어야 합니다. 사용자들이 매뉴얼을 사용하면서 제공하는 피드백은 매뉴얼을 개선하는 데 중요한 자료입니다. 예를 들어, 사용자가 특정 부분을 이해하기 어렵다고 피드백하면, 해당 부분을 수정하여 더 명확하게 설명할 수 있습니다. 피드백을 반영한 업데이트는 매뉴얼의 품질을 유지하고, 사용자의 만족도를 높이는 데 기여합니다.

사용자 친화적인 가이드 작성

사용자 친화적인 가이드는 사용자가 제품이나 서비스를 쉽게 이해하고 사용할 수 있도록 돕는 문서입니다. 첫 번째로, 사용자 친화적인 가이드는 독자의 수준과 요구를 고려하여 작성되어야 합니다. 사용자의 배경 지식과 기술 수준에 따라 가이드의 내용과 설명 방법을 조정하는 것이 중요합니다. 예를 들어, 초보자를 위한 가이드는 기본 개념과 단계별 설명을 포함하고, 전문가를 위한 가이드는 고급 기능과 활용 방법을 자세히 다룰 수 있습니다. 독자의 수준을 고려한 작성은 가이드의 효과성을 높입니다.

두 번째로, 가이드는 직관적이고 쉽게 탐색할 수 있어야 합니다. 사용자가 필요한 정보를 빠르게 찾을 수 있도록 목차와 색인을 제공하고, 각 섹션을 명확하게 구분해야 합니다. 예를 들어, 온라인 가이드는 하이퍼링크를 통해 사용자가 원하는 섹션으로 바로 이동할 수 있도록 해야 합니다. 직관적인 탐색 구조는 사용자의 편의성을 높이고, 가이드의 활용도를 극대화합니다.

세 번째로, 가이드는 실용적인 예시와 사례를 포함해야 합니다. 실제 사용 상황을 반영한 예시와 사례는 사용자가 가이드를 더 쉽게 이해하고 적용할 수 있도록 돕습니다. 예를 들어, 소프트웨어 가이드에서는 특정 기능을 사용하는 구체적인 사례를 제공하여 사용자가 그 기능을 실제로 어떻게 활용할 수 있는지 보여줄 수 있습니다. 실용적인 예시와 사례는 가이드의 유용성을 높이는 중요한 요소입니다.

네 번째로, 가이드는 사용자 피드백을 수용하고 지속적으로 개선되어야 합니다. 사용자가 가이드를 사용하면서 제공하는 피드백은 가이드를 개선하는 데 중요한 자료입니다. 예를 들어, 사용자가 특정 부분을 이해하기 어렵다고 피드백하면, 해당 부분을 수정하여 더 명확하게 설명할 수 있습니다. 사용자 피드백을 반영한 지속적인 개선은 가이드의 품질을 유지하고, 사용자의 만족도를 높이는 데 기여합니다.

마지막으로, 가이드는 다양한 형식으로 제공되어야 합니다. 텍스트, 이미지, 동영상 등 다양한 형식을 활용하여 사용자에게 정보를 제공하면, 사용자가 선호하는 방식으로 가이드를 활용할 수 있습니다. 예를 들어, 텍스트 설명과 함께 동영상을 제공하면, 사용자는 더 쉽게 내용을 이해하고 따라할 수 있습니다. 다양한 형식의 제공은 가이드의 접근성과 이해도를 높이는 데 도움이 됩니다.

AI를 활용한 매뉴얼 작성

AI는 매뉴얼 작성 과정을 혁신적으로 변화시킬 수 있습니다. 첫 번째로, AI는 자동화된 매뉴얼 생성을 통해 시간과 노력을 절약할 수 있습니다. 예를 들어, AI 기반 도구는 주어진 데이터를 분석하고,

이를 바탕으로 매뉴얼을 자동으로 생성할 수 있습니다. 이는 매뉴얼 작성에 소요되는 시간을 크게 줄이고, 작성자의 부담을 덜어줍니다. 자동화된 매뉴얼 생성은 효율성을 높이는 데 중요한 역할을 합니다.

두 번째로, AI는 매뉴얼의 정확성과 일관성을 유지하는 데 도움을 줄 수 있습니다. AI는 매뉴얼 내의 용어 사용, 형식, 스타일 등을 일관되게 유지하며, 오류를 자동으로 감지하고 수정할 수 있습니다. 예를 들어, Grammarly와 같은 AI 도구는 문법 오류를 교정하고, 스타일 가이드를 준수하도록 도와줍니다. AI를 활용한 매뉴얼 작성은 정확성과 일관성을 보장합니다.

세 번째로, AI는 번역과 현지화 작업을 지원할 수 있습니다. 글로벌 시장을 대상으로 하는 매뉴얼은 다양한 언어로 번역되고 현지화되어야 합니다. AI 기반 번역 도구는 신속하고 정확하게 매뉴얼을 번역할 수 있으며, 현지화된 표현을 제공하여 각국의 사용자에게 맞춤형 정보를 제공할 수 있습니다. 예를 들어, 구글 번역이나 딥엘(DeepL)과 같은 도구는 다국어 번역을 빠르게 처리하여, 글로벌 사용자에게 맞춤형 매뉴얼을 제공할 수 있게 합니다.

네 번째로, AI는 매뉴얼 작성 과정을 지원하는 도구로 활용될 수 있습니다. 예를 들어, GPT-3와 같은 언어 모델은 사용자의 입력 데이터를 바탕으로 매뉴얼 작성에 필요한 아이디어와 구문을 자동으로 생성할 수 있습니다. 이는 작성자가 더 쉽게 매뉴얼을 작성하고, 필요한 정보를 빠르게 찾을 수 있도록 도와줍니다. AI 기반 도구는 매뉴얼 작성 과정을 지원하는 중요한 역할을 합니다.

마지막으로, AI는 지속적인 개선과 학습을 통해 매뉴얼 작성의 품질을 향상시킬 수 있습니다. AI는 사용자 피드백과 데이터를 분석하여, 매뉴얼 작성의 강점과 약점을 식별하고, 이를 바탕으로 지속적으로 개선할 수 있습니다. 예를 들어, AI는 특정 유형의 매뉴얼이 더 높은 참여율과 만족도를 기록했는지 분석하고, 이러한 유형의 매뉴얼을 더 많이 생성하도록 학습할 수 있습니다. AI를 활용한 지속적인 개선은 매뉴얼 작성의 품질을 높이는 중요한 요소입니다.

연구와 보고서 작성

연구 문서의 작성 기법

연구 문서는 학술적 성과와 발견을 체계적으로 정리하여 전달하는 중요한 문서입니다. 첫 번째로, 연구 문서는 명확한 목적과 가설을 가지고 작성되어야 합니다. 연구의 목적과 가설은 연구 문서의 방향을 설정하고, 연구 결과의 해석과 결론을 도출하는 데 중요한 역할을 합니다. 예를 들어, 특정 약물의 효과를 연구하는 경우, "이 약물이 특정 질병의 증상을 완화하는 데 효과적인가?"라는 명확한 가설을 설정해야 합니다. 명확한 목적과 가설은 연구 문서의 일관성과 명료성을 보장합니다.

두 번째로, 연구 문서는 체계적이고 논리적인 구조를 가져야 합니다. 일반적으로 연구 문서는 서론, 방법, 결과, 논의의 순서로 구성됩니다. 예를 들어, 서론에서는 연구의 배경과 목적을 설명하고, 방법에서는 연구의 설계와 절차를 상세히 기술하며, 결과에서는 연구의 주요 발견을 제시하고, 논의에서는 결과의 의미와 한계,

그리고 앞으로의 연구 방향을 논의합니다. 체계적이고 논리적인 구조는 독자가 연구 내용을 쉽게 이해하고 평가할 수 있도록 합니다.

세 번째로, 연구 문서는 정확하고 신뢰할 수 있는 데이터를 포함해야 합니다. 연구 결과의 신뢰성을 높이기 위해서는 정확한 데이터 수집과 분석이 필요합니다. 예를 들어, 실험 결과를 정리할 때는 데이터의 출처와 수집 방법을 명확히 설명하고, 통계 분석 결과를 포함하여 연구 결과의 신뢰성을 입증해야 합니다. 정확하고 신뢰할 수 있는 데이터는 연구 문서의 과학적 가치를 높입니다.

네 번째로, 연구 문서는 명확하고 간결한 언어를 사용해야 합니다. 복잡한 연구 내용을 쉽게 전달하기 위해서는 명확하고 간결한 언어가 필요합니다. 예를 들어, 전문 용어를 사용할 때는 그 의미를 간단히 설명하고, 긴 문장은 짧게 나누어 작성합니다. 명확하고 간결한 언어는 독자가 연구 문서를 쉽게 이해하고, 중요한 내용을 빠르게 파악할 수 있도록 돕습니다.

마지막으로, 연구 문서는 철저한 검토와 피드백 과정을 거쳐야 합니다. 연구 문서는 학술적 검토와 피드백을 통해 오류를 수정하고, 내용을 보완하는 과정이 필요합니다. 예를 들어, 동료 연구자나 전문가의 리뷰를 통해 연구 문서를 평가받고, 피드백을 반영하여 수정하는 과정이 중요합니다. 철저한 검토와 피드백은 연구 문서의 품질을 보장하고, 학술적 신뢰성을 높이는 데 기여합니다.

보고서 작성의 핵심

보고서는 특정 주제나 프로젝트에 대한 정보를 체계적으로 정리하고, 분석 결과를 제시하는 중요한 문서입니다. 첫 번째로, 보고서는 명확한 목적과 목표를 가지고 작성되어야 합니다. 보고서의 목적과 목표는 독자가 보고서를 읽고 이해할 수 있는 방향을 제시합니다. 예를 들어, "이 보고서는 회사의 판매 실적을 분석하고, 향후 마케팅 전략을 제안하는 것을 목적으로 합니다"라는 명확한 목적을 설정해야 합니다. 명확한 목적과 목표는 보고서의 일관성과 명료성을 보장합니다.

두 번째로, 보고서는 체계적이고 논리적인 구조를 가져야 합니다. 일반적으로 보고서는 서론, 본론, 결론의 순서로 구성됩니다. 예를 들어, 서론에서는 보고서의 배경과 목적을 설명하고, 본론에서는 데이터를 분석하여 주요 발견을 제시하며, 결론에서는 결과의 의미와 권장 사항을 논의합니다. 체계적이고 논리적인 구조는 독자가 보고서의 내용을 쉽게 이해하고 평가할 수 있도록 합니다.

세 번째로, 보고서는 정확하고 신뢰할 수 있는 데이터를 포함해야 합니다. 보고서의 신뢰성을 높이기 위해서는 정확한 데이터 수집과 분석이 필요합니다. 예를 들어, 판매 실적 보고서에서는 정확한 판매 데이터와 시장 분석 결과를 포함하고, 통계 분석을 통해 결과의 신뢰성을 입증해야 합니다. 정확하고 신뢰할 수 있는 데이터는 보고서의 가치를 높입니다.

네 번째로, 보고서는 명확하고 간결한 언어를 사용해야 합니다. 복잡한 내용을 쉽게 전달하기 위해서는 명확하고 간결한 언어가 필요합니다. 예를 들어, 전문 용어를 사용할 때는 그 의미를 간단히 설명하고, 긴 문장은 짧게 나누어 작성합니다. 명확하고 간결한 언어는 독자가 보고서를 쉽게 이해하고, 중요한 내용을 빠르게 파악할 수 있도록 돕습니다.

마지막으로, 보고서는 철저한 검토와 피드백 과정을 거쳐야 합니다. 보고서는 검토와 피드백을 통해 오류를 수정하고, 내용을 보완하는 과정이 필요합니다. 예를 들어, 동료나 상사의 리뷰를 통해 보고서를 평가받고, 피드백을 반영하여 수정하는 과정이 중요합니다. 철저한 검토와 피드백은 보고서의 품질을 보장하고, 신뢰성을 높이는 데 기여합니다.

AI를 활용한 연구와 보고서 작성

AI는 연구와 보고서 작성 과정을 혁신적으로 변화시킬 수 있습니다. 첫 번째로, AI는 자동화된 데이터 분석을 통해 연구와 보고서 작성에 필요한 데이터를 빠르고 정확하게 처리할 수 있습니다. 예를 들어, AI 기반 데이터 분석 도구는 대규모 데이터를 신속하게 분석하고, 주요 패턴과 트렌드를 식별할 수 있습니다. 이는 연구자와 보고서 작성자가 데이터를 더 효율적으로 분석하고, 중요한 인사이트를 도출하는 데 도움을 줍니다. 자동화된 데이터 분석은 연구와 보고서 작성의 효율성을 높입니다.

두 번째로, AI는 문서 작성의 자동화를 지원할 수 있습니다. AI 기반 도구는 주어진 데이터를 바탕으로 자동으로 연구 논문이나 보고서를 작성할 수 있습니다. 예를 들어, GPT-3와 같은 언어 모델은 사용자의 입력 데이터를 바탕으로 논리적이고 일관된 문서를 생성할 수 있습니다. 이는 연구자와 작성자가 문서 작성에 소요되는 시간을 줄이고, 더 중요한 분석과 연구에 집중할 수 있게 합니다. 자동화된 문서 작성은 효율성을 극대화하는 중요한 도구입니다.

세 번째로, AI는 문서의 정확성과 일관성을 유지하는 데 도움을 줄 수 있습니다. AI는 문서 내의 용어 사용, 형식, 스타일 등을 일관되게 유지하며, 오류를 자동으로 감지하고 수정할 수 있습니다. 예를 들어, Grammarly와 같은 AI 도구는 문법 오류를 교정하고, 스타일 가이드를 준수하도록 도와줍니다. AI를 활용한 문서 작성은 정확성과 일관성을 보장합니다.

네 번째로, AI는 번역과 현지화 작업을 지원할 수 있습니다. 글로벌 연구와 보고서는 다양한 언어로 번역되고 현지화되어야 합니다. AI 기반 번역 도구는 신속하고 정확하게 문서를 번역할 수 있으며, 현지화된 표현을 제공하여 각국의 독자에게 맞춤형 정보를 제공할 수 있습니다. 예를 들어, 구글 번역이나 딥엘(DeepL)과 같은 도구는 다국어 번역을 빠르게 처리하여, 글로벌 독자에게 맞춤형 연구와 보고서를 제공할 수 있게 합니다.

마지막으로, AI는 지속적인 개선과 학습을 통해 문서 작성의 품질을 향상시킬 수 있습니다. AI는 사용자 피드백과 데이터를 분석하여, 문서 작성의 강점과 약점을 식별하고, 이를 바탕으로 지속적으로 개선할 수 있습니다. 예를 들어, AI는 특정 유형의 문서가 더 높은 참여율과 만족도를 기록했는지 분석하고, 이러한 유형의 문서를 더 많이 생성하도록 학습할 수 있습니다. AI를 활용한 지속적인 개선은 연구와 보고서 작성의 품질을 높이는 중요한 요소입니다.

AI 도구를 활용하여

글쓰기의 효율성을 높이고

창작의 즐거움을 극대화하세요.

새로운 시대의

글쓰기를 경험해보세요.

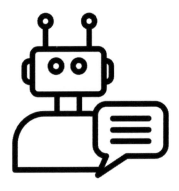

제 10 장

퍼스널 브랜딩

디지털 작가는 소셜 미디어를 통해 브랜드 홍보와 콘텐츠 전략을 성공적으로 추진하며, 팔로워 대화와 광고 관리, 성과 분석을 수행합니다. 이를 통해 온라인 인지도를 향상시키고, 네트워킹과 협업을 통해 새로운 기회를 창출합니다.

개인 브랜드 구축

브랜딩의 중요성

개인 브랜드는 현대 사회에서 성공과 영향력을 위한 필수적인 요소입니다. 첫 번째로, 개인 브랜드는 자신을 차별화하고, 독특한 이미지를 구축하는 데 도움을 줍니다. 예를 들어, 직장에서 자신의 전문성을 인정받고 승진 기회를 얻기 위해서는 다른 사람들과 차별화된 자신만의 강점을 강조하는 것이 중요합니다. 개인 브랜드를 통해 자신만의 고유한 이미지와 가치를 전달하면, 경쟁에서 우위를 점할 수 있습니다. 차별화된 브랜드는 개인의 성공과 기회를 확대하는 데 중요한 역할을 합니다.

두 번째로, 개인 브랜드는 신뢰성과 신용을 구축하는 데 기여합니다. 사람들은 브랜드를 통해 신뢰를 형성하고, 이를 바탕으로 관계를 맺습니다. 예를 들어, 강력한 개인 브랜드를 가진 사람은 고객, 동료, 상사로부터 신뢰를 얻기 쉽습니다. 이는 비즈니스 기회, 네트워킹, 협업 등 다양한 분야에서 긍정적인 영향을 미칩니다. 신뢰성과 신용은 성공적인 개인 브랜드의 핵심 요소입니다.

세 번째로, 개인 브랜드는 경력 개발과 성장을 촉진합니다. 개인 브랜드를 통해 자신의 전문성과 성과를 효과적으로 알리면, 더 많은 경력 기회와 성장을 이끌어낼 수 있습니다. 예를 들어, 업계에서 인지도를 높이면 강연 요청, 컨설팅 기회, 새로운 직무 제안 등 다양한 기회를 얻을 수 있습니다. 경력 개발과 성장은 개인 브랜드의 중요한 목적 중 하나입니다.

네 번째로, 개인 브랜드는 영향력을 확대하는 데 도움을 줍니다. 강력한 개인 브랜드를 가진 사람은 자신의 의견과 아이디어를 더 널리 퍼뜨릴 수 있습니다. 예를 들어, 소셜 미디어를 통해 자신의 브랜드를 효과적으로 구축하면, 더 많은 팔로워와 독자를 확보할 수 있으며, 이를 통해 자신의 메시지를 전달할 수 있습니다. 영향력 확대는 개인 브랜드를 통한 사회적 기여와 연결됩니다.

마지막으로, 개인 브랜드는 자아 실현과 만족도를 높이는 데 기여합니다. 자신의 가치와 신념을 반영한 브랜드를 구축하고, 이를 통해 성취감을 느끼면 자아 실현과 만족도가 높아집니다. 예를 들어, 자신의 브랜드를 통해 다른 사람들에게 영감을 주고, 긍정적인 변화를 이끌어내는 것은 큰 만족감을 제공합니다. 자아 실현과 만족도는 개인 브랜드의 중요한 혜택입니다.

개인 브랜드 전략

개인 브랜드를 효과적으로 구축하기 위해서는 명확한 전략이 필요합니다. 첫 번째로, 자신의 강점과 차별화를 명확히 정의하는 것이 중요합니다. 개인 브랜드는 자신의 고유한 가치와 강점을 기반으로 구축되어야 합니다. 예를 들어, 특정 분야에서의 전문성과 독특한 경험을 강조하여 차별화된 이미지를 구축할 수 있습니다. 자신의 강점과 차별화를 명확히 정의하면, 브랜드의 방향성과 메시지가 일관되게 전달됩니다.

두 번째로, 목표와 청중을 명확히 설정하는 것이 필요합니다. 개인 브랜드는 목표와 청중에 맞춰 전략적으로 개발되어야 합니다. 예를 들어, 특정 업계에서의 인지도를 높이기 위해서는 해당 업계의 주요 인물들과 네트워킹을 강화하고, 관련 콘텐츠를 제작해야 합니다. 목표와 청중을 명확히 설정하면, 브랜드 활동이 더 효과적으로 이루어질 수 있습니다.

세 번째로, 일관된 메시지와 이미지를 유지하는 것이 중요합니다. 개인 브랜드는 일관된 메시지와 이미지를 통해 신뢰를 구축하고, 인지도를 높입니다. 예를 들어, 소셜 미디어, 블로그, 강연 등 다양한 채널에서 일관된 메시지와 이미지를 유지하면, 사람들에게 신뢰를 줄 수 있습니다. 일관된 메시지와 이미지는 개인 브랜드의 신뢰성을 강화합니다.

네 번째로, 지속적인 학습과 자기개발을 통해 브랜드를 강화하는 것이 필요합니다. 개인 브랜드는 지속적인 학습과 자기개발을 통해 성장하고 발전해야 합니다. 예를 들어, 새로운 기술과 지식을 습득하고, 이를 바탕으로 자신의 브랜드를 업데이트하면, 더욱 강력한 브랜드를 구축할 수 있습니다. 지속적인 학습과 자기개발은 브랜드의 지속적인 성장과 발전을 보장합니다.

마지막으로, 피드백을 적극적으로 수용하고 반영하는 것이 중요합니다. 개인 브랜드는 주변의 피드백을 통해 개선되고 강화될 수 있습니다. 예를 들어, 동료나 멘토의 피드백을 통해 자신의 브랜드를 평가하고, 필요한 부분을 수정하고 보완할 수 있습니다. 피드백을 반영한 지속적인 개선은 브랜드의 품질을 높이고, 더 강력한 브랜드를 구축하는 데 도움이 됩니다.

성공적인 개인 브랜드 사례

성공적인 개인 브랜드 사례는 효과적인 브랜딩 전략과 성과를 잘 보여줍니다. 첫 번째 사례로, 리처드 브랜슨을 들 수 있습니다. 리처드 브랜슨은 버진 그룹의 창립자로서 독특한 경영 스타일과 혁신적인 아이디어를 통해 강력한 개인 브랜드를 구축했습니다. 예를 들어, 그는 자신의 모험심과 창의성을 강조하여, 버진 그룹의 브랜드와 일관된 이미지를 형성하였습니다. 브랜슨의 사례는 개인 브랜드가 기업 브랜드와 시너지 효과를 낼 수 있음을 보여줍니다.

두 번째 사례로, 오프라 윈프리를 들 수 있습니다. 오프라 윈프리는 자신의 이름을 브랜드로 만들어, 방송인, 작가, 인권 운동가로서 큰 영향력을 발휘하고 있습니다. 그녀는 자신의 이야기와 경험을 통해 많은 사람들에게 영감을 주고, 긍정적인 변화를 이끌어내고 있습니다. 예를 들어, 그녀의 토크쇼와 책은 수백만 명의 사람들에게 긍정적인 영향을 미쳤습니다. 오프라 윈프리의 사례는 개인 브랜드가 사회적 영향력을 확대하는 데 중요한 역할을 할 수 있음을 보여줍니다.

세 번째 사례로, 게리 베이너척을 들 수 있습니다. 게리 베이너척은 디지털 마케팅과 소셜 미디어 전문가로서 자신의 브랜드를 구축하였으며, 베이너미디어라는 회사를 창립하였습니다. 그는 자신의 블로그, 팟캐스트, 유튜브 채널을 통해 마케팅 전략과 비즈니스 인사이트를 공유하며, 전 세계의 기업가들에게 영감을 주고 있습니다. 예를 들어, 그의 콘텐츠는 많은 사람들이 마케팅과 비즈니스 전략을 배우고 적용하는 데 큰 도움이 되었습니다. 게리 베이너척의 사례는 개인 브랜드가 전문성을 강조하고, 교육적인 가치를 제공할 수 있음을 보여줍니다.

네 번째 사례로, 레이첼 홀리스(Rachel Hollis)를 들 수 있습니다. 레이첼 홀리스는 작가이자 연설가로서 자신의 삶과 경험을 통해 강력한 개인 브랜드를 구축하였습니다. 그녀는 "Girl, Wash Your Face"와 같은 책을 통해 자기계발과 성장에 대한 메시지를 전달하며 많은 사람들에게 영감을 주고 있습니다. 예를 들어, 그녀의 책과 강연은 특히 여성 독자들 사이에서 큰 인기를 끌며, 자기계발에 대한 긍정적인 영향을 미쳤습니다. 레이첼 홀리스의 사례는 개인 브랜드가 특정 대상층에게 강력한 영향을 미칠 수 있음을 보여줍니다.

마지막으로, 마리 포레오(Marie Forleo)를 들 수 있습니다. 마리 포레오는 온라인 교육 프로그램을 통해 수많은 사람들에게 비즈니스와 개인 개발에 대한 지식을 제공하고 있습니다. 그녀는 자신의 유튜브 채널과 블로그를 통해 다양한 주제에 대해 교육하고, 사람들에게 영감을 주는 메시지를 전달합니다. 예를 들어, 그녀의 프로그램인 "B-School"은 수많은 사람들이 자신의 비즈니스를 성장시키고, 성공을 이루는 데 큰 도움이 되었습니다. 마리 포레오의 사례는 개인 브랜드가 교육적이고 실용적인 가치를 제공할 수 있음을 보여줍니다.

온라인 존재감 강화

웹사이트와 블로그 관리

웹사이트와 블로그 관리는 개인 브랜드의 온라인 존재감을 강화하는 중요한 요소입니다. 첫 번째로, 웹사이트는 개인 브랜드의 중심 허브 역할을 합니다. 모든 온라인 활동과 콘텐츠는 웹사이트를 중심으로 연결되고, 웹사이트는 브랜드의 가치를 전달하는 주요 플랫폼이 됩니다. 예를 들어, 웹사이트에는 자기소개, 포트폴리오, 블로그, 연락처 등의 정보가 포함되어 있어야 합니다. 이는 방문자가 브랜드에 대해 더 잘 이해하고, 필요한 정보를 쉽게 찾을 수 있도록 합니다.

두 번째로, 블로그는 전문성을 보여주는 중요한 도구입니다. 정기적으로 블로그를 업데이트하고, 유용한 정보를 제공하면 독자와의 신뢰를 구축할 수 있습니다. 예를 들어, 특정 분야에 대한 깊이 있는 분석이나 개인적인 경험을 공유하는 블로그 글은 독자에게 가치 있는 정보를 제공하고, 브랜드의 전문성을 강조할 수 있습니다. 블로그는 브랜드의 목소리를 전달하는 중요한 채널입니다.

세 번째로, 검색 엔진 최적화(SEO)를 통해 웹사이트와 블로그의 가시성을 높이는 것이 중요합니다. 검색 엔진 최적화를 통해 웹사이트와 블로그가 검색 결과 상위에 노출되도록 하면, 더 많은 방문자를 유치할 수 있습니다. 예를 들어, 키워드 연구를 통해 적절한 키워드를 사용하고, 메타 태그와 제목 태그를 최적화하는 방법이 있습니다. SEO는 온라인 존재감을 강화하는 핵심 전략입니다.

네 번째로, 웹사이트와 블로그의 디자인과 사용자 경험(UX)을 최적화하는 것이 필요합니다. 웹사이트와 블로그의 디자인은 브랜드 이미지를 반영해야 하며, 사용자 친화적인 인터페이스를 제공해야 합니다. 예를 들어, 깔끔한 레이아웃, 쉬운 내비게이션, 빠른 로딩 속도 등이 중요합니다. 사용자 경험을 최적화하면 방문자가 웹사이트와 블로그를 더 오래 머물고, 더 자주 방문하게 됩니다.

마지막으로, 웹사이트와 블로그의 성과를 주기적으로 분석하고 개선하는 것이 중요합니다. 웹사이트와 블로그의 트래픽, 방문자 행동, 전환율 등을 분석하여 개선점을 찾고, 지속적으로 업데이트해야 합니다. 예를 들어, Google Analytics와 같은 도구를 사용하여 성과를 분석하고, 이를 바탕으로 콘텐츠와 디자인을 개선할 수 있습니다. 주기적인 분석과 개선은 웹사이트와 블로그의 효율성을 높이는 데 필수적입니다.

소셜 미디어 활용

소셜 미디어는 개인 브랜드를 홍보하고, 온라인 존재감을 강화하는 중요한 도구입니다. 첫 번째로, 소셜 미디어 플랫폼을 전략적으로 선택하는 것이 중요합니다. 각 플랫폼은 고유한 사용자층과 특징을 가지고 있으므로, 자신의 브랜드와 가장 잘 맞는 플랫폼을 선택해야 합니다. 예를 들어, LinkedIn은 비즈니스와 전문 네트워킹에 적합하고, Instagram은 시각적인 콘텐츠를 공유하는 데 효과적입니다. 전략적인 플랫폼 선택은 브랜드의 목표와 일치하는 활동을 가능하게 합니다.

두 번째로, 일관된 콘텐츠 전략을 수립하는 것이 필요합니다. 소셜 미디어에서는 정기적으로 유용한 콘텐츠를 게시하여 팔로워와의 관계를 강화해야 합니다. 예를 들어, 교육적인 콘텐츠, 개인적인 이야기, 산업 뉴스 등을 포함한 다양한 포스트를 계획할 수 있습니다. 일관된 콘텐츠 전략은 팔로워의 참여를 유도하고, 브랜드의 신뢰성을 높이는 데 기여합니다.

세 번째로, 팔로워와의 적극적인 소통이 중요합니다. 소셜 미디어는 쌍방향 소통의 장으로, 팔로워와의 적극적인 상호작용이 필요합니다. 예를 들어, 댓글에 답변하고, 메시지를 통해 소통하며, 팔로워의 피드백을 반영하는 것이 중요합니다. 적극적인 소통은 팔로워와의 관계를 강화하고, 더 많은 참여를 유도할 수 있습니다.

네 번째로, 소셜 미디어 광고를 활용하여 도달 범위를 확대할 수 있습니다. 유료 광고 캠페인을 통해 더 많은 사람들에게 브랜드를 알리고, 목표 고객층에게 도달할 수 있습니다. 예를 들어, Facebook Ads나 Instagram Ads를 통해 특정 인구 통계나 관심사를 가진 사용자에게 광고를 노출할 수 있습니다. 소셜 미디어 광고는 온라인 존재감을 강화하는 효과적인 방법입니다.

마지막으로, 소셜 미디어 성과를 분석하고 최적화하는 것이 중요합니다. 소셜 미디어 활동의 성과를 주기적으로 분석하여, 어떤 콘텐츠와 전략이 가장 효과적인지 평가하고, 이를 바탕으로 개선해야 합니다. 예를 들어, 각 포스트의 도달 범위, 참여율, 클릭률 등을 분석할 수 있습니다. 성과 분석과 최적화는 소셜 미디어 활동의 효율성을 높이는 데 필수적입니다.

온라인 인지도 높이기

온라인 인지도를 높이기 위해서는 다양한 전략과 노력이 필요합니다. 첫 번째로, 고품질의 콘텐츠를 지속적으로 생성하고 공유하는 것이 중요합니다. 콘텐츠는 브랜드의 가치를 전달하고, 독자와의 신뢰를 구축하는 데 핵심적인 역할을 합니다. 예를 들어, 블로그, 동영상, 인포그래픽 등을 통해 유용하고 흥미로운 정보를 제공하면, 더 많은 사람들이 브랜드에 관심을 가지게 됩니다. 고품질 콘텐츠는 온라인 인지도를 높이는 중요한 요소입니다.

두 번째로, 게스트 포스팅과 협업을 통해 온라인 인지도를 확대할 수 있습니다. 다른 블로그나 웹사이트에 게스트 포스트를 작성하거나, 영향력 있는 사람들과 협업하면, 더 넓은 청중에게 도달할 수 있습니다. 예를 들어, 업계 전문가와의 인터뷰나 공동 프로젝트를 통해 새로운 독자층을 확보할 수 있습니다. 게스트 포스팅과 협업은 브랜드의 인지도를 높이는 효과적인 방법입니다.

세 번째로, 온라인 커뮤니티와 포럼에 적극적으로 참여하는 것이 필요합니다. 온라인 커뮤니티와 포럼은 특정 주제에 관심을 가진 사람들이 모이는 곳으로, 여기서 활발히 활동하면 브랜드의 인지도를 높일 수 있습니다. 예를 들어, Reddit, Quora, 전문 포럼 등에 참여하여 유용한 정보를 제공하고, 자신의 전문성을 알릴 수 있습니다. 온라인 커뮤니티 참여는 브랜드 인지도를 높이는 중요한 전략입니다.

네 번째로, SEO 전략을 강화하여 검색 엔진에서의 가시성을 높이는 것이 중요합니다. 검색 엔진 최적화를 통해 웹사이트와 블로그가 검색 결과 상위에 노출되도록 하면, 더 많은 방문자를 유치할 수 있습니다. 예를 들어, 적절한 키워드를 사용하고, 고품질의 백링크를 구축하며, 페이지 로딩 속도를 최적화하는 방법이 있습니다. SEO 전략 강화는 온라인 인지도를 높이는 핵심 요소입니다.

마지막으로, 소셜 미디어와 이메일 마케팅을 통해 지속적인 관계를 유지하는 것이 필요합니다. 소셜 미디어와 이메일을 통해 정기적으로 콘텐츠를 공유하고, 팔로워와 구독자와의 관계를 유지하면, 브랜드의 인지도를 지속적으로 높일 수 있습니다. 예를 들어, 뉴스레터를 통해 최신 소식과 유용한 정보를 제공하거나, 소셜 미디어에서 이벤트와 프로모션을 진행할 수 있습니다. 지속적인 관계 유지는 온라인 인지도를 높이는 중요한 방법입니다.

네트워킹과 협업

네트워킹의 중요성

네트워킹은 개인 브랜드 구축과 경력 발전에 필수적인 요소입니다. 첫 번째로, 네트워킹은 새로운 기회와 정보를 제공합니다. 다양한 사람들과의 교류를 통해 새로운 아이디어와 기회를 발견할 수 있습니다. 예를 들어, 업계 행사나 콘퍼런스에서 만난 사람들과의 대화를 통해 직무 전환이나 사업 확장의 기회를 얻을 수 있습니다. 네트워킹은 개인의 성장을 돕는 중요한 도구입니다.

두 번째로, 네트워킹은 신뢰와 관계를 구축하는 데 도움을 줍니다. 지속적인 네트워킹을 통해 신뢰할 수 있는 인적 네트워크를 형성하면, 다양한 상황에서 지지와 도움을 받을 수 있습니다. 예를 들어,

프로젝트 진행 중 어려움을 겪을 때 네트워크 내 전문가의 조언을 구할 수 있습니다. 신뢰와 관계는 성공적인 네트워킹의 핵심입니다.

세 번째로, 네트워킹은 자신의 브랜드를 알리고 홍보하는 효과적인 방법입니다. 네트워킹을 통해 자신의 전문성과 성과를 다른 사람들에게 알릴 수 있습니다. 예를 들어, 네트워킹 이벤트에서 자신의 경험과 성공 사례를 공유하면, 더 많은 사람들이 자신의 브랜드를 인식하게 됩니다. 네트워킹은 브랜드 인지도를 높이는 중요한 수단입니다.

네 번째로, 네트워킹은 학습과 성장을 촉진합니다. 다양한 사람들과의 교류를 통해 새로운 지식과 기술을 배우고, 자신의 역량을 강화할 수 있습니다. 예를 들어, 네트워킹을 통해 업계의 최신 트렌드와 기술을 빠르게 파악하고, 이를 바탕으로 자신의 업무에 적용할 수 있습니다. 학습과 성장은 네트워킹의 중요한 혜택입니다.

마지막으로, 네트워킹은 협업 기회를 창출하는 데 기여합니다. 네트워킹을 통해 다양한 분야의 전문가들과 협력할 수 있는 기회를 얻을 수 있습니다. 예를 들어, 프로젝트나 연구를 함께 진행할 파트너를 찾거나, 새로운 사업 아이디어를 함께 실행할 동료를 만날 수 있습니다. 협업 기회는 네트워킹의 중요한 결과물입니다.

협업 기회 만들기

협업 기회를 만들기 위해서는 전략적인 접근이 필요합니다. 첫 번째로, 명확한 목표와 기대를 설정하는 것이 중요합니다. 협업을 시작하기 전에 목표와 기대를 명확히 설정하면, 협업의 방향성과 성과를 명확히 할 수 있습니다. 예를 들어, 프로젝트 협업의 경우, 목표와 역할 분담, 일정 등을 명확히 정리하여 협업의 효율성을 높일 수 있습니다. 명확한 목표와 기대는 성공적인 협업의 첫걸음입니다.

두 번째로, 적절한 협업 파트너를 선택하는 것이 필요합니다. 협업 파트너는 자신의 목표와 가치에 맞는 사람이어야 합니다. 예를 들어, 특정 기술이나 전문성을 갖춘 파트너와 협업하면, 시너지 효과를 극대화할 수 있습니다. 적절한 협업 파트너 선택은 협업의 성공을 좌우하는 중요한 요소입니다.

세 번째로, 열린 소통과 신뢰를 바탕으로 협업을 진행해야 합니다. 협업에서는 열린 소통과 신뢰가 핵심입니다. 예를 들어, 정기적인 미팅과 피드백을 통해 진행 상황을 공유하고, 문제를 해결하는 것이 중요합니다. 신뢰를 바탕으로 한 열린 소통은 협업의 원활한 진행을 보장합니다.

네 번째로, 협업의 성과를 주기적으로 평가하고 개선하는 것이 필요합니다. 협업의 진행 상황과 성과를 주기적으로 평가하여, 필요한 경우 전략을 수정하고 개선점을 찾는 것이 중요합니다. 예를 들어, 프로젝트 중간에 평가 회의를 통해 현재까지의 성과를 점검하고, 앞으로의 계획을 조정할 수 있습니다. 성과 평가와 개선은 협업의 질을 높이는 데 필수적입니다.

마지막으로, 협업의 성과를 공유하고 축하하는 것이 중요합니다. 협업의 성과를 공유하고 축하하는 것은 팀의 사기를 높이고, 협업에 대한 긍정적인 인식을 강화합니다. 예를 들어, 성공적인 프로젝트 완료 후 팀원들과 성과를 축하하고, 이를 외부에 알리는 것이 중요합니다. 성과 공유와 축하는 협업의 성공을 더욱 의미 있게 만듭니다.

성공적인 협업 사례

성공적인 협업 사례는 협업의 중요성과 효과를 잘 보여줍니다. 첫 번째 사례로, 스티브 잡스와 조너선 아이브의 협업을 들 수 있습니다. 스티브 잡스는 애플의 혁신적인 비전을 제시하고, 조너선 아이브는 이를 제품 디자인으로 구현하는 데 기여했습니다. 이들의 협업을 통해 아이폰, 아이패드 등 혁신적인 제품이 탄생하였고, 애플은 세계 최고의 기술 기업으로 성장할 수 있었습니다. 잡스와 아이브의 협업은 비전과 디자인의 완벽한 조화를 보여줍니다.

두 번째 사례로, 마크 저커버그와 셰릴 샌드버그의 협업을 들 수 있습니다. 마크 저커버그는 페이스북의 창립자이자 CEO로서, 셰릴 샌드버그는 COO로서 페이스북의 성장을 이끌었습니다. 이들은 전략적 경영과 운영의 협업을 통해 페이스북을 세계 최대의 소셜 미디어 플랫폼으로 발전시켰습니다. 저커버그와 샌드버그의 협업은 리더십과 운영의 시너지를 보여줍니다.

세 번째 사례로, 제프 베조스와 앤디 재시의 협업을 들 수 있습니다. 제프 베조스는 아마존의 창립자로서, 앤디 재시는 아마존 웹 서비스(AWS)의 책임자로서 아마존의 클라우드 컴퓨팅 사업을 성공적으로 이끌었습니다. 이들의 협업을 통해 AWS는 글로벌 클라우드 시장에서 선도적인 위치를 차지하게 되었습니다. 베조스와 재시의 협업은 비즈니스 혁신의 중요한 사례입니다.

네 번째 사례로, 라리 페이지와 세르게이 브린의 협업을 들 수 있습니다. 라리 페이지와 세르게이 브린은 구글의 공동 창립자로서, 구글의 검색 엔진을 개발하고 회사를 성장시켰습니다. 이들의 협업을 통해 구글은 세계 최대의 검색 엔진으로 자리매김하였고, 다양한 기술 혁신을 이끌었습니다. 페이지와 브린의 협업은 기술 혁신의 힘을 보여줍니다.

마지막으로, 일론 머스크와 그웬 샷웰의 협업을 들 수 있습니다. 일론 머스크는 스페이스X의 창립자이자 CEO로서, 그웬 샷웰은 COO로서 스페이스X의 운영과 성장을 이끌었습니다. 이들의 협업을 통해 스페이스X는 민간 우주 탐사와 로켓 재사용 기술에서 혁신을 이루었고, 우주 산업의 선도 기업으로 자리매김하였습니다. 머스크와 샷웰의 협업은 우주 탐사의 새로운 가능성을 열어준 사례입니다.

AI 도구를 활용하여

글쓰기의 효율성을 높이고

창작의 즐거움을 극대화하세요.

새로운 시대의

글쓰기를 경험해보세요.

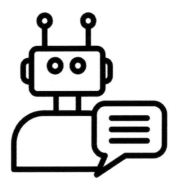

제 11 장

AI 도구는 창의성, 협업, 문제 해결 능력을 향상시키며, 이를 위해 도구를 이해하고 맞춤화하는 것이 필요합니다. Grammarly, Sudowrite, Tableau, Miro, IBM Watson 등의 사례는 품질 향상과 분석 효율성 증가에 기여했습니다. 미래 AI 도구는 딥러닝, 자연어 처리 등을 통해 더 강력할 전망입니다.

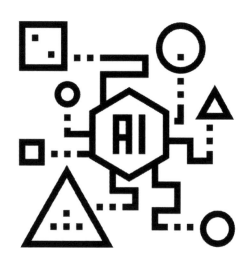

주요 AI 도구 소개

글쓰기 보조 AI 도구

글쓰기 보조 AI 도구는 현대 작가와 콘텐츠 제작자들에게 큰 도움을 주고 있습니다. 첫 번째로, AI 도구는 문법과 스타일 교정을 자동으로 수행합니다. 예를 들어, Grammarly는 사용자가 작성한 글을 실시간으로 분석하여 문법 오류, 맞춤법 실수, 스타일 개선 사항 등을 제시합니다. 이 도구는 특히 많은 양의 글을 작성해야 하는 전문가들에게 시간을 절약해 주며, 글의 품질을 높이는 데 기여합니다. AI 도구는 작성자가 글의 내용을 더 잘 전달할 수 있도록 돕습니다.

두 번째로, 글쓰기 보조 AI는 아이디어 발굴과 브레인스토밍 과정에서도 유용합니다. 예를 들어, Writesonic과 같은 AI 도구는 주제를 입력하면 관련된 글의 구조와 아이디어를 자동으로 생성해 줍니다. 이는 작가가 새로운 콘텐츠를 기획할 때 창의성을 자극하고, 더 나은 아이디어를 도출하는 데 도움이 됩니다. AI는 브레인스토밍을 더 효과적으로 수행할 수 있게 하여, 작가의 창의성을 증대시킵니다.

세 번째로, AI 도구는 번역 기능을 통해 다국어 글쓰기를 지원합니다. Google Translate와 DeepL은 다양한 언어로 텍스트를 정확하게 번역하여, 국제적인 독자를 대상으로 하는 콘텐츠를 쉽게 작성할 수 있게 합니다. 이러한 도구들은 단순한 번역을 넘어, 문맥을 이해하고 자연스러운 번역을 제공하여 글의 의미를 더 잘 전달합니다. AI 기반 번역 도구는 글로벌 커뮤니케이션을 원활하게 만듭니다.

네 번째로, AI는 콘텐츠 최적화를 통해 글의 가독성과 검색 엔진 최적화(SEO)를 향상시킬 수 있습니다. 예를 들어, Clearscope와 같은 도구는 특정 키워드에 대해 최적화된 콘텐츠를 작성할 수 있도록 도와줍니다. 이 도구는 키워드 사용 빈도, 관련 주제, 독자에게 더 잘 전달될 수 있는 문구 등을 제안하여, 작성된 글이 검색 엔진에서 더 높은 순위를 차지하도록 합니다. AI는 콘텐츠의 가치를 극대화합니다.

마지막으로, AI 도구는 편집 과정에서도 유용합니다. Hemingway Editor와 같은 도구는 문장의 복잡성을 분석하고, 더 간결하고 명확하게 수정할 수 있는 방법을 제시합니다. 이 도구는 글의 읽기 쉬운 점수를 제공하여, 독자가 글을 더 쉽게 이해할 수 있도록 돕습니다. AI는 작가가 글의 품질을 더욱 향상시키는 데 중요한 역할을 합니다.

창의성 증진 AI 도구

창의성 증진 AI 도구는 아이디어 발굴과 창의적인 작업을 지원하는 중요한 도구입니다. 첫 번째로, AI 도구는 창의적인 글쓰기를 돕습니다. 예를 들어, Sudowrite와 같은 도구는 작가가 글의 일부를 입력하면, 이어지는 내용을 자동으로 생성하여 아이디어를 확장할 수 있게 합니다. 이는 작가가 새로운 방향으로 글을 전개할 수 있도록 도와주며, 창의성을 자극합니다. AI는 작가의 상상력을 확대하고, 새로운 이야기를 창조하는 데 기여합니다.

두 번째로, AI 도구는 음악과 예술 창작을 지원합니다. 예를 들어, AIVA는 인공지능을 사용하여 음악을 작곡하고, 다양한 스타일의 음악을 생성할 수 있습니다. 이러한 도구는 작곡가와 음악가들이 새로운 멜로디와 리듬을 발견하는 데 도움을 줍니다. AI는 예술가들이 더 풍부한 창작물을 만들 수 있도록 돕습니다.

세 번째로, AI는 시각 예술에서도 창의성을 증진시킵니다. 예를 들어, DALL-E는 사용자가 입력한 텍스트를 바탕으로 이미지를 생성하는 도구로, 새로운 시각적 아이디어를 제공할 수 있습니다. 이는 그래픽 디자이너와 예술가들이 기존의 틀을 벗어나 새로운 작품을 창작하는 데 기여합니다. AI는 시각 예술의 가능성을 확장합니다.

네 번째로, AI 도구는 협업과 아이디어 공유를 촉진합니다. 예를 들어, Miro와 같은 협업 도구는 팀원들이 실시간으로 아이디어를 시각화하고, 브레인스토밍 세션을 효율적으로 진행할 수 있도록 도와줍니다. 이러한 도구들은 원격 근무 환경에서도 팀의 창의성을 극대화할 수 있게 합니다. AI는 팀의 협업을 강화하고, 더 나은 결과를 도출합니다.

마지막으로, AI는 창의적인 문제 해결을 지원합니다. 예를 들어, IBM Watson은 복잡한 문제를 분석하고, 다양한 해결책을 제안하여 창의적인 접근 방식을 개발할 수 있도록 돕습니다. 이는 비즈니스와 연구 분야에서 혁신적인 아이디어를 도출하는 데 유용합니다. AI는 문제 해결 과정을 혁신적으로 변화시키고, 새로운 가능성을 열어줍니다.

데이터 분석 AI 도구

데이터 분석 AI 도구는 방대한 데이터를 효율적으로 처리하고, 유의미한 인사이트를 도출하는 데 중요한 역할을 합니다. 첫 번째로, AI 도구는 데이터 시각화를 통해 데이터를 쉽게 이해할 수 있도록 돕습니다. 예를 들어, Tableau와 같은 도구는 복잡한 데이터를 시각적으로 표현하여, 데이터를 직관적으로 이해하고 분석할 수 있게 합니다. 이러한 시각화는 의사결정 과정에서 중요한 역할을 합니다. AI는 데이터를 더 쉽게 해석하고, 중요한 정보를 빠르게 파악하는 데 도움을 줍니다.

두 번째로, AI는 예측 분석을 통해 미래의 트렌드와 패턴을 예측합니다. 예를 들어, SAS Visual Analytics는 과거 데이터를 분석하여 미래의 성과를 예측하고, 비즈니스 전략을 세우는 데 유용한 정보를 제공합니다. 예측 분석은 기업이 더 나은 의사결정을 내리고, 리스크를 줄이는 데 중요한 도구입니다. AI는 데이터 기반 예측을 통해 미래의 기회를 포착합니다.

세 번째로, AI는 텍스트 분석을 통해 비정형 데이터를 처리합니다. 예를 들어, Natural Language Processing(NLP) 기술을 활용한 도구들은 소셜 미디어, 고객 리뷰, 이메일 등 비정형 데이터를 분석하여, 감성 분석과 키워드 추출을 수행합니다. 이는 마케팅 전략 수립과 고객 만족도 향상에 큰 도움이 됩니다. AI는 비정형 데이터를 구조화하여 유의미한 인사이트를 도출합니다.

네 번째로, AI 도구는 실시간 데이터 분석을 통해 빠르게 변화하는 상황에 대응할 수 있도록 돕습니다. 예를 들어, Apache Kafka는 실시간 데이터 스트리밍을 처리하여, 데이터 흐름을 실시간으로 모니터링하고 분석할 수 있게 합니다. 이는 금융, 통신, 소매업 등 다양한 산업에서 실시간 의사결정을 지원합니다. AI는 실시간 데이터를 활용하여 신속하고 정확한 의사결정을 가능하게 합니다.

마지막으로, AI는 빅데이터 분석을 통해 대규모 데이터를 효율적으로 처리합니다. 예를 들어, Hadoop과 같은 도구는 대용량 데이터를 분산 처리하여, 데이터를 빠르게 분석하고 인사이트를 도출할 수 있게 합니다. 이는 연구와 개발, 마케팅, 운영 등 다양한 분야에서 활용될 수 있습니다. AI는 빅데이터 분석을 통해 데이터의 가치를 극대화합니다.

도구 활용의 실제

실습과 적용 예제

AI 도구를 효과적으로 활용하기 위해서는 실제 적용 사례와 실습이 중요합니다. 첫 번째로, 글쓰기 보조 AI 도구를 활용한 실습 예제를 들 수 있습니다. 예를 들어, Grammarly를 사용하여 블로그 글을 작성하고, 문법 오류와 스타일 개선 사항을 자동으로 수정해보는 실습을 진행할 수 있습니다. 이는 사용자가 AI 도구의 기능을 직접 경험하고, 글쓰기의 질을 향상시키는 방법을 배우는 데 도움이 됩니다. 실습을 통해 AI 도구의 효과를 체감할 수 있습니다.

두 번째로, 창의성 증진 AI 도구를 활용한 사례를 소개할 수 있습니다. 예를 들어, Sudowrite를 사용하여 소설의 일부를 작성하고, 이어지는 내용을 AI가 생성하도록 하는 실습을 진행할 수 있습니다. 이는 작가가 창의적인 아이디어를 확장하고, 새로운 스토리를 개발하는 데 도움을 줍니다. 창의성 증진 AI 도구는 작가의 창의적 프로세스를 지원합니다.

세 번째로, 데이터 분석 AI 도구를 활용한 실습 예제를 들 수 있습니다. 예를 들어, Tableau를 사용하여 판매 데이터를 시각화하고, 주요 트렌드와 패턴을 분석하는 실습을 진행할 수 있습니다. 이를 통해 사용자는 데이터를 시각적으로 해석하고, 비즈니스 의사결정에 활용할 수 있는 인사이트를 도출할 수 있습니다. 데이터 분석 AI 도구는 데이터 기반 의사결정을 지원합니다.

네 번째로, AI 도구를 활용한 협업 프로젝트 예제를 소개할 수 있습니다. 예를 들어, Miro를 사용하여 팀원들과 함께 브레인스토밍 세션을 진행하고, 아이디어를 시각적으로 정리하는 실습을 할 수 있습니다. 이는 팀의 창의성을 극대화하고, 협업의 효율성을 높이는 데 기여합니다. AI 도구는 협업의 질을 향상시킵니다.

마지막으로, AI 도구를 활용한 문제 해결 예제를 들 수 있습니다. 예를 들어, IBM Watson을 사용하여 복잡한 비즈니스 문제를 분석하고, 다양한 해결책을 제안받는 실습을 진행할 수 있습니다. 이는 사용자가 문제를 새로운 관점에서 접근하고, 혁신적인 해결책을 모색하는 데 도움을 줍니다. AI 도구는 문제 해결 능력을 강화합니다.

도구 활용 팁과 요령

AI 도구를 효과적으로 활용하기 위해서는 몇 가지 팁과 요령을 숙지하는 것이 중요합니다. 첫 번째로, AI 도구의 기능을 충분히 이해하고 활용하는 것이 필요합니다. 각 도구는 고유한 기능과 장점을 가지고 있으므로, 이를 최대한 활용할 수 있도록 도구의 사용법과 기능을 충분히 학습해야 합니다. 예를 들어, Grammarly의 고급 문법 검사 기능을 활용하여 글의 정확성을 높일 수 있습니다. 도구의 기능을 충분히 이해하면, 더 효과적으로 활용할 수 있습니다.

두 번째로, AI 도구를 자신의 필요에 맞게 맞춤화하는 것이 중요합니다. 많은 AI 도구는 사용자가 설정을 조정하여 자신의 요구에 맞게 맞춤화할 수 있는 기능을 제공합니다. 예를 들어, Hemingway Editor에서 글의 읽기 난이도를 조정하여 자신의 독자층에 맞는 글을 작성할 수 있습니다. 도구를 맞춤화하면, 자신의 필요에 더 잘 맞는 결과를 얻을 수 있습니다.

세 번째로, 다양한 AI 도구를 조합하여 활용하는 것이 효과적입니다. 각각의 도구는 고유한 강점을 가지고 있으므로, 여러 도구를 조합하여 사용하면 더 나은 결과를 얻을 수 있습니다. 예를 들어, 글쓰기를 위해 Grammarly와 Hemingway Editor를 함께 사용하고, 번역을 위해 DeepL을 활용할 수 있습니다. 다양한 도구를 조합하면, 각 도구의 장점을 극대화할 수 있습니다.

네 번째로, 도구의 결과를 주기적으로 검토하고 수정하는 것이 필요합니다. AI 도구는 강력한 기능을 제공하지만, 항상 완벽한 결과를 제공하는 것은 아닙니다. 따라서 도구의 결과를 주기적으로 검토하고, 필요한 경우 수동으로 수정하는 과정이 필요합니다. 예를 들어, Grammarly의 제안을 수용하기 전에 문맥에 맞는지 확인하고 수정할 수 있습니다. 결과를 검토하고 수정하면, 더 정확한 결과를 얻을 수 있습니다.

마지막으로, AI 도구의 최신 업데이트와 기능을 지속적으로 학습하는 것이 중요합니다. AI 기술은 빠르게 발전하고 있으며, 도구도 지속적으로 업데이트되고 있습니다. 최신 기능과 업데이트를 학습하고 활용하면, 도구를 더 효과적으로 사용할 수 있습니다. 예를 들어, 도구의 최신 버전을 사용하여 새로운 기능을 활용하고, 더 나은 결과를 얻을 수 있습니다. 지속적인 학습은 AI 도구 활용의 효율성을 높입니다.

성공적인 활용 사례

성공적인 AI 도구 활용 사례는 도구의 효과성과 가능성을 잘 보여줍니다. 첫 번째 사례로, 대형 미디어 회사에서 Grammarly를 활용하여 콘텐츠의 질을 향상시킨 사례를 들 수 있습니다. 이 회사는 기사 작성 시 Grammarly를 사용하여 문법 오류를 자동으로 수정하고, 스타일을 일관되게 유지하였습니다. 그 결과, 독자의 만족도가 높아지고, 콘텐츠의 신뢰성이 강화되었습니다. Grammarly의 활용은 콘텐츠 품질 향상에 큰 기여를 하였습니다.

두 번째 사례로, 창의적인 소설 작가가 Sudowrite를 활용하여 새로운 스토리를 개발한 사례를 들 수 있습니다. 이 작가는 Sudowrite를 사용하여 소설의 주요 장면을 자동으로 생성하고, 이를 바탕으로 새로운 아이디어를 얻었습니다. 그 결과, 더 풍부하고 창의적인 이야기를 작성할 수 있었으며, 독자들로부터 높은 평가를 받았습니다. Sudowrite의 활용은 작가의 창의성을 증대시켰습니다.

세 번째 사례로, 데이터 분석가가 Tableau를 활용하여 대규모 데이터를 시각화하고, 비즈니스 인사이트를 도출한 사례를 들 수 있습니다. 이 분석가는 Tableau를 사용하여 판매 데이터를 시각적으로 표현하고, 주요 트렌드와 패턴을 분석하였습니다. 그 결과, 비즈니스 의사결정에 필요한 중요한 인사이트를 얻었으며, 회사의 매출을 증대시키는 데 기여하였습니다. Tableau의 활용은 데이터 분석의 효율성을 높였습니다.

네 번째 사례로, 마케팅 팀이 Miro를 활용하여 원격 브레인스토밍 세션을 성공적으로 진행한 사례를 들 수 있습니다. 이 팀은 Miro를 사용하여 팀원들과 실시간으로 아이디어를 시각화하고, 브레인스토밍 세션을 효율적으로 진행하였습니다. 그 결과, 창의적인 마케팅 캠페인을 기획할 수 있었으며, 고객 반응이 매우 긍정적이었습니다. Miro의 활용은 협업의 질을 향상시켰습니다.

마지막으로, 연구팀이 IBM Watson을 활용하여 복잡한 연구 문제를 해결한 사례를 들 수 있습니다. 이 팀은 Watson을 사용하여 대규모 데이터를 분석하고, 다양한 해결책을 제안받았습니다. 그 결과, 기존에 접근하지 못했던 새로운 해결책을 발견하고, 연구 성과를 크게 향상시킬 수 있었습니다. IBM Watson의 활용은 문제 해결 능력을 강화하였습니다.

미래의 AI 도구 전망

AI 기술의 발전 방향

AI 기술은 빠르게 발전하고 있으며, 미래에는 더욱 혁신적인 변화를 가져올 것입니다. 첫 번째로, 딥러닝과 머신러닝의 발전은 AI의 성능을 크게 향상시킬 것입니다. 예를 들어, 최신 딥러닝 알고리즘은 더 많은 데이터를 학습하고, 더 정교한 예측과 분석을 수행할 수 있습니다. 이는 다양한 산업 분야에서 AI의 적용 범위를 넓히고, 더 정확한 결과를 도출하는 데 기여할 것입니다. 딥러닝과 머신러닝의 발전은 AI의 핵심입니다.

두 번째로, 자연어 처리(NLP) 기술의 발전은 AI가 사람의 언어를 더 잘 이해하고 활용할 수 있게 할 것입니다. 예를 들어, GPT-4와 같은 최신 언어 모델은 더 자연스러운 대화와 글쓰기를 지원하며, 다양한 언어와 문맥을 이해하는 능력을 갖추고 있습니다. 이는 고객 서비스, 번역, 콘텐츠 생성 등 다양한 분야에서 혁신적인 변화를 가져올 것입니다. 자연어 처리의 발전은 AI의 인간화에 중요한 역할을 합니다.

세 번째로, 자율 학습과 강화 학습 기술의 발전은 AI의 자율성을 높일 것입니다. 예를 들어, 강화 학습 알고리즘은 환경과 상호작용하며 스스로 학습하고 최적의 행동을 결정할 수 있습니다. 이는 자율 주행차, 로봇 공학, 게임 AI 등에서 큰 변화를 가져올 것입니다. 자율 학습과 강화 학습의 발전은 AI의 자율성을 강화합니다.

네 번째로, AI와 사물인터넷(IoT)의 결합은 스마트 환경을 더욱 발전시킬 것입니다. 예를 들어, 스마트 홈 기기는 AI를 통해 사용자 행동을 학습하고, 더 효율적으로 작동할 수 있습니다. 이는 에너지 절약, 보안 강화, 사용자 편의성 증대 등 다양한 혜택을 제공할 것입니다. AI와 IoT의 결합은 스마트 환경의 발전을 이끌 것입니다.

마지막으로, 윤리적 AI와 공정한 AI의 발전은 AI 기술의 책임성을 높일 것입니다. AI 기술이 점점 더 많은 영역에 적용됨에 따라, 윤리적 문제와 공정성에 대한 고려가 중요해지고 있습니다. 예를 들어, AI 알고리즘의 투명성을 높이고, 편향성을 줄이는 기술이 개발되고 있습니다. 이는 AI가 사회적으로 더 큰 신뢰를 얻고, 더 널리 채택되는 데 기여할 것입니다. 윤리적 AI와 공정한 AI의 발전은 기술의 책임성을 강화합니다.

미래의 AI 도구 예측

미래의 AI 도구는 더욱 강력하고, 혁신적인 기능을 제공할 것으로 예상됩니다. 첫 번째로, AI 도구는 더 높은 수준의 자동화를 제공할 것입니다. 예를 들어, AI 기반의 프로젝트 관리 도구는 작업의 진행 상황을 자동으로 추적하고, 효율성을 높이기 위한 제안을 제공할 수 있습니다. 이는 작업의 효율성을 극대화하고, 사용자의 부담을 줄이는 데 기여할 것입니다. 자동화의 발전은 AI 도구의 핵심 요소입니다.

두 번째로, AI 도구는 더욱 정교한 데이터 분석 기능을 제공할 것입니다. 미래의 AI 도구는 더 많은 데이터를 처리하고, 더 복잡한 분석을 수행할 수 있는 능력을 갖추게 될 것입니다. 예를 들어, 실시간 데이터 분석 도구는 시장의 변화를 실시간으로 감지하고, 즉각적인 대응 전략을 제안할 수 있습니다. 이는 비즈니스와 연구에서 더 빠르고 정확한 의사결정을 가능하게 할 것입니다. 정교한 데이터 분석은 AI 도구의 중요한 발전 방향입니다.

세 번째로, AI 도구는 사용자 경험을 개인화하는 능력을 갖추게 될 것입니다. 미래의 AI 도구는 사용자의 행동과 선호도를 학습하고, 개인 맞춤형 서비스를 제공할 수 있을 것입니다. 예를 들어, 개인 맞춤형 학습 도구는 사용자의 학습 스타일과 속도에 맞춘 커리큘럼을 제공할 수 있습니다. 이는 교육과 훈련의 효과를 극대화할 것입니다. 개인화된 사용자 경험은 AI 도구의 중요한 트렌드입니다.

네 번째로, AI 도구는 더욱 강력한 협업 기능을 제공할 것입니다. 미래의 AI 도구는 팀의 협업을 지원하는 다양한 기능을 포함할 것입니다. 예를 들어, AI 기반의 협업 플랫폼은 팀원 간의 소통을 원활하게 하고, 프로젝트의 진행 상황을 실시간으로 공유할 수 있는 기능을 제공할 것입니다. 이는 팀의 생산성을 높이고, 협업의 질을 향상시킬 것입니다. 강력한 협업 기능은 AI 도구의 중요한 발전 방향입니다.

마지막으로, AI 도구는 윤리적 고려와 공정성을 더욱 강화할 것입니다. 미래의 AI 도구는 윤리적 기준을 준수하고, 공정성을 보장하는 기능을 포함할 것입니다. 예를 들어, AI 알고리즘의 투명성을 높이고, 편향성을 최소화하는 기술이 발전할 것입니다. 이는 AI 도구가 더 널리 채택되고, 사회적으로 신뢰받는 기술로 자리잡는 데 기여할 것입니다. 윤리적 고려와 공정성은 AI 도구의 중요한 발전 방향입니다.

변화에 대한 준비

AI 기술의 빠른 발전에 대응하기 위해서는 변화에 대한 준비가 필요합니다. 첫 번째로, 지속적인 학습과 교육이 중요합니다. AI 기술은 빠르게 변화하고 발전하고 있으므로, 최신 기술과 트렌드를 지속적으로 학습하는 것이 필요합니다. 예를 들어, AI 관련 온라인 강좌나 워크숍에 참여하여 최신 지식을 습득할 수 있습니다. 지속적인 학습은 변화에 대한 준비의 핵심 요소입니다.

두 번째로, 유연한 사고와 적응력이 필요합니다. AI 기술은 기존의 작업 방식을 혁신적으로 변화시키고 있으므로, 새로운 기술과 방법을 수용하고 적응하는 능력이 중요합니다. 예를 들어, AI 도구를 도입하여 업무 프로세스를 개선하고, 효율성을 높이는 방법을 탐구할 수 있습니다. 유연한 사고와 적응력은 변화에 대한 준비의 중요한 요소입니다.

세 번째로, 윤리적 고려와 책임감을 갖는 것이 중요합니다. AI 기술의 발전은 윤리적 문제와 책임성을 동반합니다. 예를 들어, AI 도구의 사용이 프라이버시 침해나 편향성을 초래하지 않도록 주의해야 합니다. 윤리적 고려와 책임감은 AI 기술의 지속 가능한 발전을 보장합니다.

네 번째로, 협력과 네트워킹을 강화하는 것이 필요합니다. AI 기술의 발전은 다양한 분야의 협력과 네트워킹을 통해 더 큰 성과를 이끌어낼 수 있습니다. 예를 들어, AI 전문가와의 협력이나 AI 커뮤니티에 참여하여 지식을 공유하고 협력할 수 있습니다. 협력과 네트워킹은 변화에 대한 준비의 중요한 요소입니다.

마지막으로, 전략적 계획과 실행이 필요합니다. AI 기술을 효과적으로 활용하기 위해서는 명확한 목표와 전략을 수립하고, 이를 실행하는 것이 중요합니다. 예를 들어, AI 도구를 도입하여 특정 비즈니스 목표를 달성하기 위한 구체적인 계획을 수립하고, 이를 실행하는 것이 필요합니다. 전략적 계획과 실행은 AI 기술의 성공적인 도입과 활용을 보장합니다.

AI 도구를 활용하여

글쓰기의 효율성을 높이고

창작의 즐거움을 극대화하세요.

새로운 시대의

글쓰기를 경험해보세요.

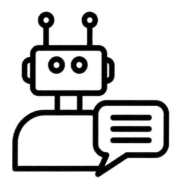

제 12 장

성공을 위한 전략

디지털 작가는 GTD 기법과 일일 목표 설정으로 효율성을 높이고, AI는 일정 관리와 작업 자동화로 시간 관리를 혁신합니다. 지속적인 성장은 평생 학습과 목표 설정을 통해 이루어지며, 빌 게이츠의 학습 습관은 성공적인 개발 사례입니다.

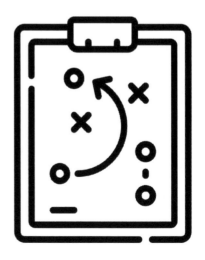

목표 설정과 계획

목표 설정의 중요성

목표 설정은 성공을 위한 첫 번째 단계로, 개인과 조직 모두에게 중요합니다. 명확한 목표는 방향성을 제공하고, 행동을 구체화하며, 동기를 부여합니다. 예를 들어, 기업이 연간 매출 목표를 설정하면, 이를 달성하기 위한 세부 전략과 실행 계획을 수립할 수 있습니다. 개인도 마찬가지로, 경력 개발이나 학습 목표를 명확히 하면, 이를 이루기 위한 구체적인 계획을 세울 수 있습니다. 목표 설정은 성공적인 결과를 이끌어내는 데 필수적인 요소입니다.

목표 설정의 중요성은 다양한 연구에서도 입증되었습니다. 예를 들어, 심리학자 에드윈 로크와 게리 레담은 목표 설정 이론에서 명확하고 도전적인 목표가 높은 성과를 이끌어낸다고 주장했습니다. 그들은 구체적이고 도전적인 목표를 설정한 사람들이 더 높은 성취를 이루는 경향이 있음을 발견했습니다. 이 연구는 목표 설정이 성과를 극대화하는 중요한 전략임을 보여줍니다.

명확한 목표는 자원을 효과적으로 분배하고, 효율성을 높이는 데도 도움을 줍니다. 예를 들어, 프로젝트 관리에서는 명확한 목표를 설정함으로써 자원과 시간을 효율적으로 사용하고, 중복 작업을 피할 수 있습니다. 이는 프로젝트의 성공적인 완수를 보장하고, 비용과 시간을 절감하는 데 기여합니다. 목표 설정은 효율적인 자원 관리와 성과 향상을 위한 핵심 요소입니다.

목표 설정은 개인의 성장과 발전에도 중요한 역할을 합니다. 예를 들어, 학습 목표를 설정하면, 학습 계획을 세우고, 필요한 자원을 확보하여 목표를 달성할 수 있습니다. 이는 개인의 지식과 기술을 향상시키고, 경력 발전을 촉진합니다. 목표 설정은 개인의 지속적인 성장과 자기 계발을 위한 중요한 도구입니다.

마지막으로, 목표 설정은 팀워크와 협력을 촉진합니다. 팀 목표를 설정하면, 팀원들이 공동의 목표를 위해 협력하고, 서로의 역할과 책임을 명확히 이해할 수 있습니다. 예를 들어, 스포츠 팀에서는 승리라는 공동의 목표를 위해 각 선수들이 협력하고, 자신의 역할을 다하는 것이 중요합니다. 목표 설정은 팀의 결속력과 성과를 높이는 데 기여합니다.

계획 수립과 실행 전략

목표를 달성하기 위해서는 체계적인 계획 수립과 실행 전략이 필요합니다. 첫 번째로, 목표를 구체적이고 측정 가능한 단계로 나누는 것이 중요합니다. 예를 들어, 연간 매출 목표를 달성하기 위해 분기별, 월별, 주별로 세부 목표를 설정할 수 있습니다. 이렇게 하면 목표를 더 쉽게 관리하고, 진행 상황을 추적할 수 있습니다. 구체적인 단계로 나누는 것은 목표 달성의 핵심 전략입니다.

두 번째로, 자원과 시간 관리를 효과적으로 계획하는 것이 필요합니다. 자원을 적절히 분배하고, 시간을 효율적으로 사용하면 목표 달성에 더 가까워질 수 있습니다. 예를 들어, 프로젝트 관리에서는 팀원들의 역할과 책임을 명확히 하고, 필요한 자원을 적시에 배분하여 프로젝트가 원활하게 진행되도록 해야 합니다. 자원과 시간 관리는 계획 수립의 중요한 요소입니다.

세 번째로, 예상되는 문제와 장애물을 미리 파악하고 대비하는 것이 중요합니다. 목표 달성 과정에서 예상치 못한 문제가 발생할 수 있으므로, 이를 대비한 계획을 세우는 것이 필요합니다. 예를 들어, 시장 변동이나 기술적 문제를 대비한 대응 전략을 마련하면, 문제 발생 시 신속하게 대응할 수 있습니다. 예상 문제와 장애물에 대비하는 것은 목표 달성의 안정성을 높입니다.

네 번째로, 실행 계획을 지속적으로 모니터링하고 수정하는 것이 필요합니다. 계획은 상황에 따라 유연하게 조정될 수 있어야 하며, 진행 상황을 주기적으로 점검하여 필요한 경우 계획을 수정해야 합니다. 예를 들어, 프로젝트 진행 중 발생하는 변화를 반영하여 계획을 조정하면, 목표 달성 가능성을 높일 수 있습니다. 모니터링과 수정은 실행 계획의 필수 요소입니다.

마지막으로, 팀의 참여와 협력을 이끌어내는 것이 중요합니다. 목표 달성은 개인의 노력뿐만 아니라 팀의 협력이 필요합니다. 팀원들이 목표와 계획에 공감하고, 적극적으로 참여하도록 유도하는 것이 중요합니다. 예를 들어, 정기적인 회의와 피드백 세션을 통해 팀원들의 의견을 수렴하고, 목표 달성에 대한 동기부여를 제공할 수 있습니다. 팀의 참여와 협력은 목표 달성의 성공을 보장합니다.

목표 달성 사례

목표를 성공적으로 달성한 사례는 목표 설정과 계획 수립의 중요성을 잘 보여줍니다. 첫 번째 사례로, 애플의 혁신적인 제품 개발 과정을 들 수 있습니다. 애플은 아이폰 개발 초기부터 명확한 목표를 설정하고, 이를 달성하기 위한 체계적인 계획을 수립했습니다. 팀은 주기적인 피드백과 개선 과정을 통해 목표를 지속적으로 수정하고, 최종적으로 혁신적인 제품을 출시할 수 있었습니다. 애플의 사례는 목표 설정과 계획 수립의 중요성을 잘 보여줍니다.

두 번째 사례로, 마라톤 완주를 목표로 한 개인의 경험을 들 수 있습니다. 이 개인은 마라톤 완주를 목표로 설정하고, 체계적인 훈련 계획을 수립했습니다. 매일 일정한 거리를 달리고, 주간 단위로 훈련 강도를 높이며, 영양과 휴식에도 신경 썼습니다. 그 결과, 목표한 마라톤을 성공적으로 완주할 수 있었습니다. 이 사례는 목표 설정과 계획 수립이 개인의 성취를 이끌어내는 데 중요한 역할을 한다는 것을 보여줍니다.

세 번째 사례로, 스타트업 기업의 성공적인 시장 진출을 들 수 있습니다. 이 기업은 새로운 제품의 시장 진출을 목표로 설정하고, 철저한 시장 조사와 마케팅 계획을 수립했습니다. 소비자 요구를 반영한 제품 개발과 효과적인 마케팅 전략을 통해 단기간 내에 시장에서 큰 성공을 거두었습니다. 이 사례는 목표 설정과 계획 수립이 기업의 성공을 이끌어낼 수 있음을 보여줍니다.

네 번째 사례로, 대학 입학을 목표로 한 학생의 경험을 들 수 있습니다. 이 학생은 목표 대학을 설정하고, 입학을 위한 세부 계획을 수립했습니다. 학업 계획, 시험 준비, 입학 지원서 작성 등 모든 단계를 체계적으로 준비하여 최종적으로 목표 대학에 입학할 수 있었습니다. 이 사례는 목표 설정과 계획 수립이 교육 목표 달성에 중요한 역할을 한다는 것을 보여줍니다.

마지막으로, 비영리 단체의 사회적 목표 달성 사례를 들 수 있습니다. 이 단체는 특정 지역의 환경 보호를 목표로 설정하고, 체계적인 활동 계획을 수립했습니다. 자원 봉사자 모집, 교육 프로그램 운영, 환경 보호 캠페인 등을 통해 지역 사회의 참여를 이끌어내고, 목표를 성공적으로 달성할 수 있었습니다. 이 사례는 목표 설정과 계획 수립이 사회적 목표 달성에 중요한 역할을 한다는 것을 보여줍니다.

시간 관리와 효율성

시간 관리 기법

효과적인 시간 관리는 성공을 위한 필수 요소입니다. 첫 번째로, 타임 블로킹(Time Blocking) 기법은 하루를 일정한 시간 블록으로 나누어 각 블록마다 특정 작업을 할당하는 방법입니다. 예를 들어, 오전 9시부터 11시까지는 이메일 확인과 답변, 11시부터 1시까지는 프로젝트 작업, 2시부터 4시까지는 회의와 같은 식으로 시간을 분배합니다. 타임 블로킹은 작업 집중도를 높이고, 불필요한 시간 낭비를 줄이는 데 도움이 됩니다.

두 번째로, 우선순위 설정 기법은 중요한 작업을 먼저 처리하여 효율성을 극대화하는 방법입니다. 이를 위해 애이젠하워 매트릭스(Eisenhower Matrix)를 활용할 수 있습니다. 이 매트릭스는 작업을 중요도와 긴급성에 따라 네 가지로 분류하여, 중요한 작업을 우선 처리하고, 덜 중요한 작업은 위임하거나 나중으로 미루는 방식입니다. 우선순위 설정은 중요한 목표를 달성하는 데 집중할 수 있게 도와줍니다.

세 번째로, 포모도로 테크닉(Pomodoro Technique)은 집중 작업 시간과 짧은 휴식 시간을 반복하여 생산성을 높이는 방법입니다. 예를 들어, 25분간 집중하여 작업하고, 5분간 휴식하는 사이클을 반복합니다. 이러한 방식은 집중력을 유지하고, 과로를 방지하는 데 효과적입니다. 포모도로 테크닉은 짧은 시간 동안 높은 생산성을 유지하는 데 유용합니다.

네 번째로, GTD(Getting Things Done) 기법은 작업과 프로젝트를 체계적으로 관리하는 방법입니다. 이 기법은 모든 할 일을 캡처하고, 이를 처리 가능한 작업으로 분류한 후, 적절한 시점에 실행하는 과정을 포함합니다. 예를 들어, 이메일을 받은 즉시 처리하거나, 일정에 맞게 적절한 작업으로 분류하여 나중에 처리합니다. GTD 기법은 할 일의 체계적인 관리를 통해 스트레스를 줄이고, 생산성을 높입니다.

마지막으로, 일일 목표 설정과 리뷰 기법은 하루의 목표를 설정하고, 이를 달성하기 위한 계획을 세운 후, 하루가 끝날 때 리뷰하는 방식입니다. 예를 들어, 아침에 오늘의 주요 목표를 설정하고, 이를 달성하기 위한 구체적인 계획을 세운 후, 저녁에 목표 달성 여부를 점검합니다. 일일 목표 설정과 리뷰는 목표 달성도를 높이고, 지속적인 개선을 가능하게 합니다.

효율성을 높이는 방법

효율성을 높이기 위해서는 여러 가지 방법을 활용할 수 있습니다. 첫 번째로, 멀티태스킹을 피하고, 하나의 작업에 집중하는 것이 중요합니다. 멀티태스킹은 오히려 생산성을 낮추고, 실수의 위험을 증가시킬 수 있습니다. 예를 들어, 중요한 보고서를 작성할 때는 이메일 확인이나 전화 통화를 피하고, 보고서 작성에만 집중합니다. 집중 작업은 효율성을 높이는 데 큰 도움이 됩니다.

두 번째로, 정기적인 휴식이 필요합니다. 과도한 작업은 피로와 스트레스를 유발하여 생산성을 저하시키기 쉽습니다. 예를 들어, 포모도로 테크닉을 활용하여 25분 집중 작업 후 5분 휴식을 취하거나, 하루 중간에 짧은 산책을 하여 신체와 정신을 재충전합니다. 정기적인 휴식은 지속적인 집중력과 효율성을 유지하는 데 필수적입니다.

세 번째로, 생산성을 높이는 도구와 기술을 활용하는 것이 좋습니다. 예를 들어, 프로젝트 관리 도구인 Trello나 Asana를 사용하여 작업을 체계적으로 관리하고, 진행 상황을 시각적으로 확인할 수 있습니다. 이러한 도구들은 팀원들과의 협업을 강화하고, 작업의 효율성을 높이는 데 도움을 줍니다. 적절한 도구와 기술의 활용은 효율성을 극대화할 수 있습니다.

네 번째로, 업무 환경을 최적화하는 것이 필요합니다. 정돈된 작업 공간과 적절한 조명, 편안한 의자는 작업 집중도를 높이고, 효율성을 향상시킵니다. 예를 들어, 책상을 정리하고, 필요한 도구와 자료를 손쉽게 접근할 수 있는 곳에 배치하며, 조명을 조정하여 눈의 피로를 줄입니다. 최적화된 업무 환경은 생산성을 높이는 데 중요한 역할을 합니다.

마지막으로, 자기 관리를 통해 신체적, 정신적 건강을 유지하는 것이 중요합니다. 규칙적인 운동, 건강한 식습관, 충분한 수면은 신체적 에너지를 높이고, 정신적 집중력을 향상시킵니다. 예를 들어, 매일 아침 운동을 하고, 균형 잡힌 식사를 하며, 충분한 수면을 취합니다. 자기 관리는 지속적인 효율성을 유지하는 데 필수적입니다.

AI를 활용한 시간 관리

AI는 시간 관리를 혁신적으로 개선할 수 있는 도구를 제공합니다. 첫 번째로, AI 기반의 일정 관리 도구는 자동으로 일정을 조정하고, 최적화할 수 있습니다. 예를 들어, Google Calendar는 AI를 사용하여 사용자의 일정과 선호도를 분석하고, 가장 적절한 시간에 회의 일정을 잡아줍니다. 이러한 도구는 시간을 효율적으로 관리하고, 일정 조정에 소요되는 시간을 절약할 수 있습니다.

두 번째로, AI는 작업 자동화를 통해 반복적인 작업을 줄이고, 생산성을 높일 수 있습니다. 예를 들어, Zapier와 같은 도구는 다양한 애플리케이션 간의 작업을 자동화하여, 사용자가 수동으로 처리할 필요 없이 데이터를 전송하고 작업을 실행할 수 있게 합니다. 이는 반복적인 작업에 소요되는 시간을 줄이고, 중요한 작업에 더 집중할 수 있게 합니다. 작업 자동화는 시간 관리를 크게 개선합니다.

세 번째로, AI 기반의 개인 비서는 사용자에게 맞춤형 시간 관리 솔루션을 제공할 수 있습니다. 예를 들어, Microsoft의 Cortana나 Amazon의 Alexa는 사용자의 일정을 관리하고, 중요한 일정을 리마인드하며, 필요한 정보를 제공하여 시간을 효율적으로 관리할 수 있게 합니다. 이러한 개인 비서는 사용자의 생산성을 높이는 데 큰 도움이 됩니다.

네 번째로, AI는 데이터 분석을 통해 시간 사용 패턴을 파악하고, 효율성을 높이는 방법을 제안할 수 있습니다. 예를 들어, RescueTime은 사용자의 컴퓨터 사용 시간을 분석하고, 비효율적인 시간 사용 패턴을 식별하여 개선할 수 있는 방법을 제안합니다. 이러한 도구는 사용자가 시간을 더 효율적으로 사용할 수 있도록 돕습니다. 데이터 분석을 통한 시간 관리 개선은 AI의 중요한 기능입니다.

마지막으로, AI는 프로젝트 관리 도구와 결합하여 팀의 시간 관리를 최적화할 수 있습니다. 예를 들어, AI 기반 프로젝트 관리 도구인 Wrike는 팀의 작업 진행 상황을 실시간으로 모니터링하고, 효율적인 자원 분배와 일정 관리를 지원합니다. 이는 팀의 협업을 강화하고, 프로젝트의 성공적인 완료를 돕습니다. AI와 프로젝트 관리의 결합은 팀의 효율성을 극대화합니다.

자기 계발과 지속 성장

지속 성장 전략

지속적인 성장은 개인의 경력 발전과 성공을 위한 핵심 요소입니다. 첫 번째로, 지속 성장 전략의 핵심은 평생 학습입니다. 급변하는 시대에 적응하기 위해서는 지속적으로 새로운 지식과 기술을 습득하는 것이 중요합니다. 예를 들어, 온라인 강좌, 세미나, 워크숍 등을 통해 최신 트렌드와 기술을 배우고, 이를 실무에 적용할 수 있습니다. 평생 학습은 지속적인 성장을 위한 필수적인 전략입니다.

두 번째로, 자기 성찰과 피드백을 통한 개선이 필요합니다. 자신의 강점과 약점을 파악하고, 이를 바탕으로 지속적으로 개선하는 과정이 중요합니다. 예를 들어, 정기적으로 자기 평가를 실시하고, 동료나 멘토로부터 피드백을 받아 개선할 부분을 찾아야 합니다. 자기 성찰과 피드백은 지속 성장의 중요한 요소입니다.

세 번째로, 명확한 목표 설정과 단계별 계획 수립이 필요합니다. 장기적 목표를 설정하고, 이를 달성하기 위한 단계별 계획을 수립하면, 체계적으로 성장할 수 있습니다. 예를 들어, 5년 후의 목표를 설정하고, 이를 달성하기 위한 연간, 월간, 주간 계획을 세워 실행합니다. 목표 설정과 계획 수립은 지속 성장을 체계적으로 지원합니다.

네 번째로, 네트워킹과 멘토링을 통한 성장 기회를 모색하는 것이 중요합니다. 다양한 분야의 사람들과 교류하고, 멘토의 조언을 받아 성장 기회를 찾는 것이 필요합니다. 예를 들어, 전문 분야의 네트워킹 이벤트에 참석하거나, 멘토 프로그램에 참여하여 지식과 경험을 공유할 수 있습니다. 네트워킹과 멘토링은 성장 기회를 확대하는 데 중요한 역할을 합니다.

마지막으로, 건강한 생활 습관을 유지하는 것이 필요합니다. 신체적, 정신적 건강은 지속 성장을 위한 기반입니다. 규칙적인 운동, 균형 잡힌 식사, 충분한 수면은 건강한 생활 습관의 필수 요소입니다. 예를 들어, 매일 아침 운동을 하고, 건강한 음식을 섭취하며, 충분한 수면을 취하는 것이 중요합니다. 건강한 생활 습관은 지속 성장을 위한 필수 조건입니다.

자기 계발 방법

자기 계발을 위해서는 다양한 방법을 활용할 수 있습니다. 첫 번째로, 독서는 자기 계발의 가장 기본적이고 효과적인 방법 중 하나입니다. 다양한 분야의 책을 읽음으로써 지식을 넓히고, 새로운 아이디어를 얻을 수 있습니다. 예를 들어, 자기 계발서, 전문 서적, 소설 등을 읽으며 다양한 관점을 배울 수 있습니다. 독서는 자기 계발의 기본입니다.

두 번째로, 온라인 강좌와 교육 프로그램을 활용하는 것이 좋습니다. 인터넷을 통해 접근할 수 있는 다양한 온라인 강좌와 교육 프로그램은 자기 계발에 큰 도움이 됩니다. 예를 들어, Coursera, edX, Khan Academy 등의 플랫폼을 통해 최신 기술과 지식을 학습할 수 있습니다. 온라인 교육은 자기 계발의 효과적인 방법입니다.

세 번째로, 피드백과 자기 평가를 통해 자신의 성장을 지속적으로 점검하는 것이 중요합니다. 정기적으로 자신의 성과와 발전 상태를 평가하고, 필요한 개선점을 찾아 실행해야 합니다. 예를 들어, 매월 자기 평가를 실시하고, 피드백을 받아 부족한 부분을 보완하는 계획을 세울 수 있습니다. 피드백과 자기 평가는 지속적인 성장에 필수적입니다.

네 번째로, 새로운 도전과 경험을 통해 자신의 한계를 확장하는 것이 필요합니다. 새로운 프로젝트나 업무, 취미 등을 통해 다양한 경험을 쌓고, 이를 통해 자신의 능력을 확장할 수 있습니다. 예를 들어, 새로운 기술을 배우거나, 새로운 취미를 시작하여 자신의 가능성을 탐구할 수 있습니다. 새로운 도전과 경험은 자기 계발의 중요한 요소입니다.

마지막으로, 멘토링과 네트워킹을 통해 지식과 경험을 공유하는 것이 중요합니다. 멘토의 조언을 받고, 다양한 사람들과 교류하며 지식과 경험을 공유하는 과정이 필요합니다. 예를 들어, 멘토 프로그램에 참여하거나, 네트워킹 이벤트에 참석하여 다른 사람들의 경험을 배울 수 있습니다. 멘토링과 네트워킹은 자기 계발의 중요한 방법입니다.

성공적인 자기 계발 사례

성공적인 자기 계발 사례는 목표 달성과 성장의 중요성을 잘 보여줍니다. 첫 번째 사례로, 빌 게이츠의 평생 학습 습관을 들 수 있습니다. 빌 게이츠는 매년 수십 권의 책을 읽고, 새로운 지식을 습득하는 데 열정을 가지고 있습니다. 그는 독서를 통해 최신 기술과 트렌드를 학습하고, 이를 비즈니스와 사회적 활동에 적용하고 있습니다. 빌 게이츠의 사례는 독서와 평생 학습이 성공적인 자기 계발에 중요함을 보여줍니다.

두 번째 사례로, 셰릴 샌드버그의 경력 발전을 들 수 있습니다. 셰릴 샌드버그는 페이스북의 COO로서, 자신의 경력을 지속적으로 발전시키기 위해 명확한 목표를 설정하고, 체계적인 계획을 수립했습니다. 그녀는 다양한 경험을 통해 자신의 능력을 확장하고, 멘토의 조언을 받아 성장을 지속할 수 있었습니다. 셰릴 샌드버그의 사례는 목표 설정과 계획 수립이 경력 발전에 중요함을 보여줍니다.

세 번째 사례로, 마라톤 완주를 목표로 한 개인의 경험을 들 수 있습니다. 이 개인은 마라톤 완주를 목표로 설정하고, 체계적인 훈련 계획을 수립했습니다. 매일 일정한 거리를 달리고, 주간 단위로 훈련 강도를 높이며, 영양과 휴식에도 신경 썼습니다. 그 결과, 목표한 마라톤을 성공적으로 완주할 수 있었습니다. 이 사례는 목표 설정과 계획 수립이 개인의 성취를 이끌어내는 데 중요한 역할을 한다는 것을 보여줍니다.

네 번째 사례로, 스타트업 창업자의 성공적인 경력 전환을 들 수 있습니다. 이 창업자는 자신의 기술과 아이디어를 바탕으로 스타트업을 설립하고, 체계적인 계획과 전략을 통해 회사를 성장시켰습니다. 그는 지속적인 학습과 네트워킹을 통해 자신의 역량을 확장하고, 사업의 성공을 이끌어냈습니다. 이 사례는 학습과 네트워킹이 경력 전환과 사업 성공에 중요함을 보여줍니다.

마지막으로, 비영리 단체의 사회적 목표 달성 사례를 들 수 있습니다. 이 단체는 특정 지역의 환경 보호를 목표로 설정하고, 체계적인 활동 계획을 수립했습니다. 자원 봉사자 모집, 교육 프로그램 운영, 환경 보호 캠페인 등을 통해 지역 사회의 참여를 이끌어내고, 목표를 성공적으로 달성할 수 있었습니다. 이 사례는 목표 설정과 계획 수립이 사회적 목표 달성에 중요한 역할을 한다는 것을 보여줍니다.

결론　　　　**요약과 마무리**

이 책은 AI와 글쓰기를 통한 수익 창출, 창의성과 AI 융합, 데이터 기반 글쓰기, 퍼스널 브랜딩 및 마케팅 전략 등을 통해 지속적 성장 방법을 제시하며, AI 도구를 활용한 시간 관리와 효율성 향상, 지속 학습과 자기 계발 전략을 이해하는데 도움을 드립니다.

요약과 마무리

이 책은 AI와 글쓰기를 통해 돈을 벌 수 있는 다양한 전략과 방법을 소개했습니다. 먼저, AI가 글쓰기에 어떻게 기여할 수 있는지에 대해 설명하며, AI 도구가 글쓰기의 효율성과 창의성을 증대시키는 역할을 강조했습니다. 또한, 글쓰기와 마케팅의 융합을 통해 상위 노출과 브랜드 스토리텔링의 중요성을 다루었고, 이를 통해 성공적인 마케팅 사례와 전략을 소개했습니다. 이 모든 과정에서 AI 도구의 실질적인 활용 방법과 성공 사례를 통해 독자들이 직접 적용할 수 있도록 안내했습니다.

다음으로, 창의성과 AI의 만남을 통해 AI가 창의적인 작업에 어떻게 기여할 수 있는지 설명하였으며, 이를 통해 새로운 아이디어를 생성하고 예술적 접근을 하는 방법을 다루었습니다. AI의 한계와 가능성에 대해서도 논의하며, 윤리적 고려사항을 강조하여 AI 활용의 올바른 방향을 제시했습니다. 또한, 데이터와 글쓰기를 결합하여 데이터 기반의 글쓰기와 맞춤형 콘텐츠 제작 방법을 설명하며, 성과 측정과 지속적인 개선을 위한 전략을 제공했습니다.

돈이 되는 글쓰기 기술과 독자를 사로잡는 글쓰기 방법을 통해 글쓰기로 수익을 창출하는 다양한 모델을 소개하고, 성공적인 사례를 통해 실질적인 방법을 제시했습니다. 퍼스널 브랜딩과 온라인 존재감 강화, 네트워킹과 협업의 중요성을 강조하며, 성공적인 브랜드 구축과 협업 사례를 통해 독자들에게 실질적인 인사이트를 제공했습니다. 마지막으로, 성공을 위한 전략과 목표 설정, 시간 관리, 자기 계발을 통한 지속 성장을 강조하며, 독자들이 자신의 목표를 달성하고 지속적으로 성장할 수 있는 방법을 제시했습니다.

이 책을 통해 독자들은 AI와 글쓰기를 결합하여 다양한 방식으로 수익을 창출하고, 자신의 글쓰기 능력을 향상시키는 방법을 배웠습니다. 또한, 성공적인 퍼스널 브랜딩과 마케팅 전략을 통해 자신의 브랜드를 강화하고, 더 넓은 독자층과 연결되는 방법을 학습했습니다. AI 도구를 활용하여 시간 관리와 효율성을 극대화하는 방법을 배웠으며, 지속적인 학습과 자기 계발을 통해 성장할 수 있는 전략을 이해했습니다. 이 책이 독자들에게 실질적인 도움을 제공하고, 성공을 위한 구체적인 전략을 제시하는 데 기여했기를 바랍니다.

독자에게 보내는 마지막 메시지

이 책을 읽어주신 독자 여러분께 진심으로 감사드립니다. 여러분은 이 책을 통해 AI와 글쓰기를 활용한 다양한 방법과 전략을 배웠으며, 이를 통해 자신의 목표를 달성하고 성공적인 경력을 쌓아가는 데 필요한 도구를 얻으셨을 것입니다. 여러분의 열정과 노력에 다시 한번 감사드리며, 여러분이 이 책에서 얻은 지식과 인사이트를 통해 큰 성과를 이루기를 진심으로 기원합니다.

성공은 한순간에 이루어지는 것이 아니라, 지속적인 노력과 학습을 통해 이루어집니다. 여러분이 이 책에서 배운 내용을 토대로 끊임없이 학습하고, 새로운 도전에 도전하며, 자신의 한계를 확장해 나가기를 바랍니다. AI 기술은 빠르게 발전하고 있으며, 이에 대한 지속적인 학습과 적응은 여러분의 성공을 더욱 확고히 할 것입니다. 항상 배우고 성장하는 자세를 유지하시기를 바랍니다.

성공을 위해서는 긍정적인 태도와 자신감이 필수적입니다. 여러분이 목표를 설정하고 계획을 실행하는 과정에서 어려움과 장애물이 있을 수 있습니다. 그러나 긍정적인 태도와 자신감을 가지고 끊임없이 도전한다면, 어떤 어려움도 극복할 수 있을 것입니다. 여러분은 이 책을 통해 얻은 지식과 전략을 바탕으로 큰 성과를 이룰 수 있는 능력을 가지고 있습니다. 자신을 믿고, 긍정적인 태도로 앞으로 나아가시기를 바랍니다.

실천을 위한 격려

모든 큰 성과는 작은 시작에서 비롯됩니다. 이 책에서 배운 내용을 바탕으로 작은 실천부터 시작해보세요. 예를 들어, AI 도구를 활용하여 글쓰기를 시작하거나, 자신의 블로그를 개설하여 글을 게시해보는 것도 좋은 시작입니다. 작은 시작이 모여 큰 변화를 만들어낼 수 있습니다. 중요한 것은 꾸준히 실천하고, 지속적으로 발전해 나가는 것입니다.

목표를 명확히 설정하고, 이를 달성하기 위한 구체적인 계획을 세우세요. 예를 들어, 3개월 후에 전자책을 출판하는 목표를 설정하고, 매일 일정한 시간 동안 글을 작성하는 계획을 세울 수 있습니다. 목표를 달성하기 위한 세부 계획을 수립하고, 이를 차근차근 실행해 나가면, 결국 목표를 이루게 될 것입니다. 계획을 실행하는 과정에서 피드백을 받고, 필요한 경우 계획을 수정해 나가는 것도 중요합니다.

실천 과정에서 지속적으로 피드백을 받고, 개선해 나가는 자세를 가지세요. 예를 들어, 글을 작성한 후 친구나 동료에게 피드백을 받고, 이를 바탕으로 글의 품질을 개선하는 것이 좋습니다. 피드백은 성장과 발전의 중요한 원동력입니다. 지속적인 피드백과 개선을 통해 자신의 능력을 향상시키고, 목표를 달성해 나가세요.

혼자서 모든 것을 이루기보다는, 함께 성장할 수 있는 커뮤니티를 찾으세요. 예를 들어, 글쓰기 모임이나 AI 기술 관련 커뮤니티에 참여하여 다른 사람들과 지식과 경험을 공유하고, 협력하는 것이 좋습니다. 커뮤니티는 여러분이 더 빠르게 성장하고, 더 많은 기회를 얻을 수 있는 중요한 자원입니다. 함께 성장하는 커뮤니티에서 여러분의 성공을 이끌어가세요.

마지막으로, 끝없는 도전과 발전을 추구하세요. 성공은 한 번에 이루어지는 것이 아니며, 끊임없는 도전과 발전을 통해 이룰 수 있는 것입니다. 여러분이 이 책에서 배운 내용을 바탕으로 끊임없이 도전하고, 새로운 목표를 설정하며, 지속적으로 발전해 나가기를 바랍니다. 여러분의 노력과 열정이 결국 큰 성과를 만들어낼 것입니다. 끝없는 도전과 발전을 통해 더 큰 성공을 이루세요.

부록: 추천 AI 도구 목록

글쓰기 보조 도구

Grammarly: Grammarly는 문법, 맞춤법, 구두점 오류를 실시간으로 교정해주는 AI 기반 도구입니다. 이 도구는 작성 중인 글을 분석하여 오류를 찾아내고, 올바른 형태로 수정할 수 있도록 제안합니다. 예를 들어, 이메일 작성 시, 중요한 비즈니스 문서 작성 시 유용하게 활용할 수 있습니다. Grammarly는 또한 문체와 문장의 가독성도 개선할 수 있어, 글의 전체적인 품질을 높이는 데 큰 도움이 됩니다.

Hemingway Editor: Hemingway Editor는 문장의 복잡성을 분석하고, 간결하고 명확한 문장을 작성할 수 있도록 돕는 도구입니다. 이 도구는 긴 문장과 복잡한 구조를 지적하고, 더 단순하고 읽기 쉬운 형태로 바꾸도록 제안합니다. 예를 들어, 기사나 블로그 글을 작성할 때, 독자가 쉽게 이해할 수 있는 문장을 만드는 데 유용합니다. Hemingway Editor는 특히 초보 작가에게 큰 도움이 됩니다.

ProWritingAid: ProWritingAid는 스타일, 문법, 반복어 등을 분석하고 교정해주는 종합적인 글쓰기 도구입니다. 이 도구는 상세한 보고서를 제공하여 글의 약점을 분석하고, 개선 방안을 제시합니다. 예를 들어, 소설을 쓰는 작가는 ProWritingAid를 사용하여 플롯의 일관성을 유지하고, 캐릭터의 대화를 더 자연스럽게 만들 수 있습니다. ProWritingAid는 글쓰기의 모든 측면을 개선하는 데 유용합니다.

Writesonic: Writesonic은 AI 기반 콘텐츠 생성 도구로, 블로그 포스트, 광고 카피, 소셜 미디어 포스트 등을 자동으로 생성할 수 있습니다. 이 도구는 사용자가 입력한 키워드나 주제를 바탕으로 관련된 콘텐츠를 생성합니다. 예를 들어, 마케팅 담당자는 Writesonic을 사용하여 짧은 시간 안에 여러 개의 광고 카피를 작성할 수 있습니다. Writesonic은 빠르고 효율적인 콘텐츠 생성을 지원합니다.

Sudowrite: Sudowrite는 소설 작가를 위한 AI 도구로, 스토리 전개와 캐릭터 개발을 돕습니다. 이 도구는 작가가 작성한 텍스트를 바탕으로 이어지는 문장이나 단락을 생성하여, 창작 과정을 돕습니다. 예를 들어, 작가가 막혔을 때 Sudowrite는 새로운 아이디어를 제공하여 글을 이어나갈 수 있도록 합니다. Sudowrite는 창의적인 글쓰기 과정을 혁신적으로 변화시킵니다.

데이터 분석 도구

Tableau: Tableau는 데이터 시각화 도구로, 데이터를 분석하고 시각적으로 표현하는 데 사용됩니다. 이 도구는 복잡한 데이터를 이해하기 쉽게 시각화하여, 의사결정을 돕습니다. 예를 들어, 마케팅 팀은 Tableau를 사용하여 캠페인 성과를 분석하고, 시각적인 보고서를 작성할 수 있습니다. Tableau는 데이터 기반 인사이트를 제공하여 비즈니스 의사결정을 지원합니다.

Google Analytics: Google Analytics는 웹사이트 트래픽과 사용자 행동을 분석하는 도구입니다. 이 도구는 방문자 수, 페이지뷰, 전환율 등을 추적하여 웹사이트의 성과를 평가할 수 있습니다. 예를 들어, 전자상거래 사이트는 Google Analytics를 사용하여 고객의 구매 경로를 분석하고, 이를 바탕으로 마케팅 전략을 최적화할 수 있습니다. Google Analytics는 웹사이트 성과 분석에 필수적인 도구입니다.

SAS Visual Analytics: SAS Visual Analytics는 대규모 데이터를 분석하고 시각화하는 도구입니다. 이 도구는 고급 분석 기능을 제공하여, 데이터를 심층적으로 분석하고, 예측 모델을 생성할 수 있습니다. 예를 들어, 금융 기관은 SAS Visual Analytics를 사용하여 고객 데이터를 분석하고, 리스크 관리를 개선할 수 있습니다. SAS Visual Analytics는 복잡한 데이터 분석에 강력한 도구입니다.

Apache Hadoop: Apache Hadoop은 빅데이터 처리를 위한 오픈 소스 프레임워크입니다. 이 도구는 대규모 데이터를 분산 처리하여, 빠르고 효율적으로 분석할 수 있습니다. 예를 들어, 연구 기관은 Hadoop을 사용하여 대규모 데이터 세트를 분석하고, 연구 결과를 도출할 수 있습니다. Hadoop은 빅데이터 처리의 핵심 도구입니다.

IBM Watson: IBM Watson은 AI 기반 데이터 분석 도구로, 자연어 처리와 머신러닝을 통해 데이터를 분석하고, 인사이트를 도출합니다. 이 도구는 복잡한 문제를 해결하고, 다양한 산업 분야에서 활용될 수 있습니다. 예를 들어, 헬스케어 분야에서는 Watson을 사용하여 환자의 데이터를 분석하고, 맞춤형 치료법을 제안할 수 있습니다. IBM Watson은 고급 AI 분석을 제공하는 도구입니다.

추가 학습 자료

온라인 강좌

Coursera: Coursera는 다양한 분야의 온라인 강좌를 제공하는 플랫폼으로, AI와 데이터 과학 관련 강좌도 다수 포함되어 있습니다. 예를 들어, 스탠포드 대학의 머신러닝 강좌는 AI 기술의 기초부터 고급 개념까지 다루며, 실습을 통해 실제 적용 방법을 배울 수 있습니다. Coursera는 자기 계발과 전문성 향상에 유용한 학습 자원을 제공합니다.

edX: edX는 하버드 대학과 MIT가 공동으로 설립한 온라인 교육 플랫폼으로, AI와 데이터 분석 관련 강좌를 제공합니다. 예를 들어, MIT의 데이터 과학 강좌는 빅데이터 분석과 머신러닝의 기초를 다루며, 실제 데이터 세트를 사용한 실습을 포함하고 있습니다. edX는 고품질의 교육 콘텐츠를 제공하여 학습 효과를 극대화합니다.

Udacity: Udacity는 실무 중심의 나노디그리 프로그램을 제공하는 온라인 학습 플랫폼으로, AI와 데이터 분석 관련 과정도 다수 포함되어 있습니다. 예를 들어, AI 프로그래밍 나노디그리 프로그램은 파이썬을 사용한 AI 알고리즘 구현과 데이터 분석 기술을 가르칩니다. Udacity는 실무에 바로 적용할 수 있는 실용적인 학습을 제공합니다.

Khan Academy: Khan Academy는 무료로 다양한 학습 콘텐츠를 제공하는 플랫폼으로, 데이터 과학과 AI 기초 강좌도 포함되어 있습니다. 예를 들어, 기본적인 데이터 분석과 통계 개념을 다루는 강좌는 AI와 데이터 과학을 시작하는 데 유용합니다. Khan Academy는 누구나 접근할 수 있는 학습 자원을 제공합니다.

LinkedIn Learning : LinkedIn Learning은 전문가들이 제공하는 다양한 온라인 강좌를 제공하며, AI와 데이터 분석 관련 강좌도 다수 포함되어 있습니다. 예를 들어, 데이터 시각화와 Tableau 사용법을 다루는 강좌는 데이터 분석 기술을 향상시키는 데 유용합니다. LinkedIn Learning은 전문성 향상을 위한 실용적인 학습 자원을 제공합니다.

추천 도서

"Artificial Intelligence: A Guide for Thinking Humans" by Melanie Mitchell

이 책은 AI의 기본 개념과 역사, 최신 발전을 이해하기 쉽게 설명합니다. 예를 들어, 딥러닝과 머신러닝의 원리와 실제 응용 사례를 통해 AI의 가능성과 한계를 명확히 이해할 수 있습니다. 이 책은 AI에 대한 폭넓은 이해를 돕습니다.

"Deep Learning" by Ian Goodfellow, Yoshua Bengio, and Aaron Courville

이 책은 딥러닝의 이론과 실제 응용을 다루는 전문서로, AI 연구자와 실무자들에게 필독서로 꼽힙니다. 예를 들어, 딥러닝 알고리즘의 구조와 학습 방법을 심층적으로 설명하며, 다양한 실습 예제를 제공합니다. 이 책은 딥러닝 기술을 깊이 이해하는 데 필수적입니다.

"Data Science for Business" by Foster Provost and Tom Fawcett

이 책은 데이터 과학의 기본 개념과 비즈니스 응용을 다루며, 실무에서 데이터 과학을 활용하는 방법을 설명합니다. 예를 들어, 데이터 분석과 예측 모델링을 통해 비즈니스 문제를 해결하는 다양한 사례를 제공합니다. 이 책은 데이터 과학의 실무적 활용을 이해하는 데 유용합니다.

"The Master Algorithm" by Pedro Domingos

이 책은 기계 학습의 다섯 가지 주요 접근법을 소개하며, 궁극의 학습 알고리즘을 찾기 위한 여정을 설명합니다. 예를 들어, 규칙 기반 학습, 사례 기반 학습, 확률 모델, 통계 학습, 유전자 알고리즘 등을 비교 분석합니다. 이 책은 기계 학습의 다양한 접근법을 이해하는 데 도움을 줍니다.

"Python for Data Analysis" by Wes McKinney

이 책은 파이썬을 사용한 데이터 분석 기법을 다루며, 데이터 과학 실무에 바로 적용할 수 있는 내용을 제공합니다. 예를 들어, 파이썬의 판다스 라이브러리를 활용한 데이터 처리와 분석, 시각화 기법을 설명합니다. 이 책은 데이터 분석을 시작하는 사람들에게 필수적인 자원입니다.

독자를 위한 Q&A

Q1: AI 도구를 처음 사용해보는데, 어디서부터 시작해야 할까요?

A1: AI 도구를 처음 사용할 때는 기본적인 도구부터 시작하는 것이 좋습니다. Grammarly와 같은 문법 교정 도구를 사용하여 글쓰기를 개선하고, Writesonic과 같은 간단한 콘텐츠 생성 도구를 활용해보세요. 온라인 강좌를 통해 기본적인 AI 개념과 도구 사용법을 학습하는 것도 좋은 방법입니다. 처음에는 작은 프로젝트를 통해 도구를 익히고, 점차 복잡한 작업에 도전해보세요.

Q2: AI 도구를 활용해 글쓰기 효율성을 어떻게 높일 수 있나요?

A2: AI 도구를 활용해 글쓰기 효율성을 높이려면, 다양한 도구를 조합하여 사용하는 것이 좋습니다. Grammarly로 문법과 스타일을 교정하고, Hemingway Editor로 문장의 가독성을 개선하세요. Sudowrite를 사용해 창의적인 아이디어를 확장하고, Writesonic으로 다양한 콘텐츠를 생성할 수 있습니다. 이러한 도구들을 결합하여 글쓰기 작업의 질과 속도를 동시에 높일 수 있습니다.

Q3: 데이터 분석 도구를 활용해 비즈니스 인사이트를 도출하는 방법은 무엇인가요?

A3: 데이터 분석 도구를 활용해 비즈니스 인사이트를 도출하려면, 먼저 데이터를 체계적으로 수집하고 정리하는 것이 중요합니다. Tableau와 같은 시각화 도구를 사용하여 데이터를 시각적으로 표현하고, Google Analytics로 웹사이트 트래픽과 사용자 행동을 분석하세요. SAS Visual Analytics와 같은 고급 분석 도구를 사용해 예측 모델을 구축하고, 데이터를 심층적으로 분석하여 인사이트를 도출할 수 있습니다.

Q4: AI 도구를 사용하면서 윤리적 고려사항은 무엇인가요?

A4: AI 도구를 사용하면서 윤리적 고려사항을 지키는 것이 중요합니다. 먼저, 데이터 프라이버시를 보호하고, 개인 정보를 안전하게 관리해야 합니다. AI 도구가 편향된 결과를 제공하지 않도록 알고리즘의 투명성을 유지하고, 공정성을 보장하는 것이 필요합니다. AI 도구 사용 시, 결과의 정확성을 주기적으로 검토하고, 윤리적 기준을 준수하는 것이 중요합니다.

Q5: 지속적인 자기 계발을 위해 어떤 전략을 사용할 수 있나요?

A5: 지속적인 자기 계발을 위해 다양한 학습 자원과 전략을 활용할 수 있습니다. 온라인 강좌와 교육 프로그램을 통해 최신 기술과 지식을 학습하고, 전문 서적을 읽어 지식을 확장하세요. 정기적인 피드백과 자기 평가를 통해 성과를 점검하고, 개선할 부분을 찾아 발전시키세요. 새로운 도전과 경험을 통해 자신의 능력을 확장하고, 네트워킹과 멘토링을 통해 다양한 사람들과 지식과 경험을 공유하세요.

Q6: AI 도구를 활용한 시간 관리는 어떻게 시작할 수 있나요?

A6: AI 도구를 활용한 시간 관리를 시작하려면, 먼저 AI 기반 일정 관리 도구를 도입하는 것이 좋습니다. Google Calendar와 같은 도구를 사용하여 일정을 자동으로 조정하고, 중요한 일정을 리마인드 받을 수 있습니다. 또한, 작업 자동화 도구인 Zapier를 활용하여 반복적인 작업을 자동화하고, 개인 비서 도구인 Microsoft Cortana나 Amazon Alexa를 사용하여 일상적인 시간 관리를 도울 수 있습니다. 데이터 분석 도구를 통해 시간 사용 패턴을 파악하고 개선 방안을 찾는 것도 유용합니다.

Q7: AI와 협업 도구를 어떻게 효과적으로 활용할 수 있나요?

A7: AI와 협업 도구를 효과적으로 활용하려면, 팀의 필요에 맞는 도구를 선택하고, 이를 적극적으로 사용해야 합니다. Miro와 같은 협업 도구를 사용하여 실시간 브레인스토밍과 아이디어 시각화를 진행할 수 있습니다. AI 기반 프로젝트 관리 도구인 Wrike는 팀의 작업을 모니터링하고, 효율적으로 자원을 배분할 수 있게 도와줍니다. 팀원 간의 커뮤니케이션을 강화하기 위해 정기적인 회의와 피드백 세션을 열어, 협업 도구의 활용도를 높이고 프로젝트의 성공 가능성을 극대화할 수 있습니다.

Q8: AI를 활용한 개인화 콘텐츠는 어떻게 제작하나요?

A8: AI를 활용한 개인화 콘텐츠를 제작하려면, 먼저 독자의 데이터를 수집하고 분석해야 합니다. Google Analytics와 같은 도구를 사용하여 독자의 행동 데이터를 분석하고, AI 기반 추천 시스템을 도입하여 개인 맞춤형 콘텐츠를 제공할 수 있습니다. 예를 들어, 전자상거래 웹사이트에서는 고객의 구매 이력을 바탕으로 맞춤형 제품 추천을 제공할 수 있습니다. 또한, AI 도구를 활용하여 콘텐츠의 주제와 스타일을 개인화하여 독자에게 더 큰 가치를 제공할 수 있습니다.

Q9: AI 도구를 활용한 마케팅 전략은 어떻게 수립할 수 있나요?

A9: AI 도구를 활용한 마케팅 전략을 수립하려면, 먼저 마케팅 목표를 명확히 설정하고, 이를 달성하기 위한 데이터를 수집해야 합니다. SEO 최적화 도구인 Clearscope를 사용하여 키워드를 분석하고, AI 기반 광고 도구인 Google Ads를 통해 타겟팅된 광고 캠페인을 진행할 수 있습니다. 소셜 미디어 분석 도구를 사용하여

콘텐츠의 성과를 모니터링하고, AI 기반 CRM 시스템을 통해 고객 관계를 관리하며 맞춤형 마케팅 전략을 실행할 수 있습니다. 이러한 도구들을 통합적으로 활용하여 데이터 기반의 효과적인 마케팅 전략을 수립할 수 있습니다.

Q10: AI 도구를 활용한 학습과 성장 방법은 무엇인가요?

A10: AI 도구를 활용한 학습과 성장 방법으로는 온라인 학습 플랫폼을 활용하는 것이 있습니다. Coursera, edX, Udacity 등의 플랫폼에서 AI와 데이터 과학 관련 강좌를 수강하여 최신 지식을 습득할 수 있습니다. 또한, AI 기반 학습 도구를 사용하여 개인 맞춤형 학습 계획을 세우고, 지속적으로 학습 성과를 분석하여 개선할 수 있습니다. 예를 들어, AI 튜터링 시스템을 통해 개인의 학습 속도와 스타일에 맞춘 교육을 받을 수 있습니다. 지속적인 학습과 피드백을 통해 자신의 역량을 향상시키고, AI 기술을 활용하여 지속적으로 성장해 나갈 수 있습니다.

작가 인사말 여여 (如如) 안형렬

안녕하세요, 작가 안형렬입니다. "AI와 글쓰기로 돈을 버는 비결 실전 가이드"는 AI 기술과 글쓰기를 결합하여 새로운 차원의 창작과 수익 창출 방법을 제공합니다.

이 책은 AI 도구를 활용한 글쓰기의 효율성을 극대화하고, 창의성을 극대화하는 방법을 안내합니다. 초보자부터 전문가까지 누구나 쉽게 따라 할 수 있는 실전 예시와 응용 방법을 통해, 여러분의 글쓰기가 새로운 도약을 이룰 수 있도록 돕습니다.

AI와의 협업은 단순히 글을 작성하는 것을 넘어서, 더 나은 아이디어를 발굴하고, 데이터 기반의 전략을 세우며, 독자를 사로잡는 콘텐츠를 만드는 과정입니다. 이 책에서는 글쓰기의 다양한 형태와 마케팅 전략, 데이터 분석을 통한 글쓰기 최적화 방법을 다루며, AI의 가능성과 한계를 명확히 이해할 수 있도록 합니다.

저는 이 책을 통해 여러분이 AI 도구를 활용하여 글쓰기의 질을 높이고, 더 많은 독자를 끌어들이며, 궁극적으로 글쓰기로 수익을 창출할 수 있기를 바랍니다. 이 책이 여러분의 글쓰기 여정에 유용한 길잡이가 되기를 바랍니다.

창작의 길은 끊임없는 배움과 도전의 연속입니다. AI와 함께라면, 여러분의 글쓰기는 더욱 창의적이고 혁신적인 방식으로 진화할 것입니다. 이 책이 여러분의 성공적인 글쓰기와 수익 창출에 큰 도움이 되기를 진심으로 기원합니다. 감사합니다.

마무리 Epilogue

이 책을 마무리하며, 독자 여러분과 함께한 여정을 되돌아봅니다. "AI와 글쓰기로 돈을 버는 비결 실전 가이드"는 단순히 AI 도구를 소개하는 데 그치지 않고, 이를 통해 어떻게 글쓰기의 효율성과 창의성을 극대화할 수 있는지 구체적인 방법을 제시했습니다. 여러분이 이 책을 통해 얻은 지식과 도구들이, 앞으로의 글쓰기 여정에서 큰 도움이 되기를 진심으로 바랍니다.

AI와 글쓰기의 결합은 새로운 창작의 가능성을 열어줍니다. AI는 단순히 작업을 도와주는 도구가 아니라, 창작의 동반자로서 우리의 글쓰기를 혁신적으로 변화시킬 수 있습니다. 이 책에서 다룬 다양한 AI 도구와 활용법을 통해, 여러분은 더 빠르고 효율적으로, 그리고 더 창의적으로 글을 작성할 수 있을 것입니다.

창작의 과정은 항상 도전적이지만, AI와 함께라면 그 도전은 더 이상 혼자가 아닌 협력의 과정이 됩니다. 여러분이 AI 도구를 활용하여 글쓰기의 새로운 가능성을 발견하고, 이를 통해 더 많은 독자에게 다가가기를 바랍니다. 이 책에서 배운 내용들을 바탕으로, 자신만의 독창적인 글을 쓰고, 더 큰 성과를 이루어내시길 기원합니다.

마지막으로, 글쓰기는 단순한 작업이 아니라 자신의 생각과 감정을 표현하는 소중한 과정입니다. AI와 함께하는 글쓰기는 이 과정을 더욱 풍부하고 의미 있게 만들어 줄 것입니다. 여러분이 이 책을 통해 얻은 지식을 실천하며, 끊임없이 배우고 성장하는 창작자가 되기를 바랍니다.

감사합니다. 앞으로도 여러분의 글쓰기 여정에 많은 성취와 기쁨이 함께하기를 기원합니다. 여러분의 글이 세상에 큰 영향을 미치고, 더 많은 사람들에게 영감을 주기를 바랍니다.

2024년 05월 30일   여여 (如如) 안형렬